In

Meiner

Jugend

A Devotional Reader In

German And English

PATHWAY PUBLISHERS
Aylmer, Ontario, Canada

First printing, April, 2000

Reprinted 2015

Printed in U.S.A.

Contents

Gedenke an deinen Schöpfer in deiner Jugend,
ehe denn die bösen Tage kommen und
die Jahre herzutreten, da du wirst sagen:
Sie gefallen mir nicht. =Prediger 12:1

Remember now thy Creator in the days
of thy youth, while the evil days
come not, nor the years draw nigh,
when thou shalt say, I have no
pleasure in them. -Ecclesiastes 12:1

Introduction

In our worship services, we Amish and most Old Order Mennonites use the German language. Our hymns, sermons, prayers, and church ceremonies are in German. In addition, we speak a German dialect at home. And yet, we have increasingly turned to the English language for much of our reading and for writing.

Unless we make a serious effort to become more familiar with the rich heritage of German reading material that has come down to us, we will lose much of the blessing that could be ours. This book is a sincere attempt to encourage our young people (and those who are older) to a deeper study of some of the doctrinal and devotional materials that are being used in our churches today. By providing an English translation on each facing page, it is not our intent to have it replace or supplant the German. Quite the opposite. The English version should be used just as one would make use of a German-English dictionary—to clarify the meaning of the German.

First in line are the eighteen articles of faith of the Dordrecht Confession of 1632, used by our churches to instruct candidates for baptism. With its complex paragraphs and overlong

sentences, the Dordrecht Confession is not easy to understand in any language. We have tried to simplify the sentence structure where it was possible to do so without affecting the meaning. We have likewise followed the example of the earliest German editions by removing the Scripture references from the actual text, and have footnoted them.

The translation of the Dordrecht Confession is an entirely new one, and adheres closely to the wording of the German and original Dutch. Priority was given to conveying the exact meaning as closely as possible.

Similarly, the "Regeln eines gottseligen Lebens" has been retranslated in a more literal rendering. The hymns, with one exception, have not been metered or rhymed. The translation has only one objective—to reflect the exact meaning of the original as nearly as we could.

The several baptism and marriage formularies are those most commonly used in our Amish and Old Order Mennonite churches. In some instances the Pennsylvania German dialect shows through.

All the materials not otherwise indicated have been translated by myself. Corrections and suggestions for revision are welcomed. We are very grateful for the cooperation of those from

whom we requested information. It is our prayer that this little booklet may indeed be a means of spiritual blessing to those who earnestly study it.

I will close with the Apostle Paul's words to Timothy,

Niemand verachte deine Jugend; sondern sei ein Vorbild den Gläubigen im Wort, im Wandel, in der Liebe, im Geist, im Glauben, in der Keuschheit.

- Joseph Stoll, July 15, 1999

Glaubensbekenntnis

des wehr= und rachlosen Christentums.
Dordrecht, den 21. April 1632.

1. Artikel.

Vom Glauben an Gott, von der Schöpfung des ersten Menschen und aller Dinge.

Nachdem wir bezeuget finden (in den canonischen Büchern des alten und neuen Testaments,) daß es unmöglich sei, ohne Glauben Gott zu gefallen, und wer zu Gott kommen will, der muß glauben, daß ein Gott ist, und daß Er wird sein ein Vergelter denselbigen, die Ihn suchen.[1] Daher so bekennen wir mit dem Munde und glauben mit dem Herzen, sammt allen Frommen, nach Laut der heiligen Schrift, an einen einigen, ewigen, allmächtigen und unbegreiflichen Gott, Vater, Sohn und heiligen Geist,[2] und keinen mehr und keinen andern; vor welchem auch kein Gott gemacht oder gewesen ist, noch auch nach Ihm sein wird. Denn aus Ihm, durch Ihn und in Ihm sind alle Dinge. Ihm sei Lob, Preis und Ehre von Ewigkeit zu Ewigkeit. Amen.[3]

Denselbigen einigen Gott, der da wirket Alles in Allen,[4] glauben und bekennen wir daß Er ein Schöpfer ist aller sichtbaren und unsichtbaren Dinge, der innerhalb

---

[1] Ebräer 11:6
[2] 5 Mose 6:4; 1 Mose 17:1; Jesaja 45:9; 1 Johannes 5:7
[3] Römer 11:36
[4] 1 Korinther 12:6

Article 1

Of faith in God and the creation of the first man
and all things

Since we find it testified in the canonical books
of the Old and New Testament that without faith
it is impossible to please God, and that He who
would come to God must believe that there is a
God and that He is a rewarder of them that seek
Him,[1] therefore we confess with the mouth and
believe with the heart—in company with all the
pious and in keeping with the Holy Scriptures—in
an only, eternal, almighty, and incomprehensible
God: the Father, Son, and Holy Spirit. [2]And in none
more nor in any other, before whom no God was
made or existed, nor shall exist after Him—for from
Him, through Him, and in Him are all things—to
Him be praise, glory, and honor forever and ever.
Amen.[3]

Of this same one God who worketh all in all,[4]
we believe and confess that He is the Creator of

---

[1] Hebrews 11:6
[2] Deut. 6:4; Genesis 17:1; Isaiah 45:9; 1 John 5:7
[3] Romans 11:36
[4] 1 Corinthians 12:6

sechs Tagen Himmel und Erde, das Meer und Alles
was darinnen ist, geschaffen, gemacht und zubereitet hat.[5]
Und daß Er dieselben und alle Seine Werke durch Seine
Weisheit, Allmacht und durch das Wort Seiner Kraft
noch regieret und unterhält.

Und als Er Seine Werke vollendet, und jegliches in
seiner Natur, Wesen und Eigenschaft gut und recht nach
Seinem Wohlgefallen geordnet hatte, so hat Er daneben
auch den ersten Menschen, unser aller Vater, Adam,
geschaffen und ihm einen Leib gegeben, welchen Er aus
einem Erdenkloß[6] formirt, und ihm einen lebendigen Odem
in seine Nase geblasen hat, also daß er geworden ist eine
lebendige Seele, von Gott nach Seinem Bilde und
Gleichniß in rechtschaffener Gerechtigkeit und Heiligkeit
zum ewigen Leben geschaffen.

Und hat ihn über alle andern Creaturen sonderlich
angesehen und mit vielen hohen und herrlichen Gaben
gezieret und in den Lustgarten oder Paradies gestellt,
Gebot und Verbot gegeben.[7] Hat auch darnach von
demselben Adam eine Rippe genommen[8] und ein Weib
daraus gebauet, zu ihm gebracht, dieselbige ihm zur
Gehülfin, Gesellin und Hausfrau zugefügt und gegeben;
hat auch Folgendes verschafft daß von diesem einigen
ersten Menschen, Adam, alle Menschen, auf dem ganzen
Erdboden wohnend, gezeuget und entsprossen sind.[9]

---

[5] 1 Mose 1; Apostelgeschichte 14:15

[6] 1 Mose 1:27; 2:7

[7] 1 Mose 5:1; 2:17, 18

[8] 1 Mose 2:22

[9] Apostelgeschichte 17:26

all things visible and invisible, who in six days created, made, and prepared heaven and earth and sea and all that is in them.[5] And that He still governs and upholds the same by His wisdom, might, and the word of His power.

And when He had finished His works and had ordained and prepared each in its nature, being and quality, good and right according to His pleasure, He then also created the first man, Adam, the father of us all. He gave him a body formed from a lump of earth,[6] and breathed into his nostrils the breath of life so that he became a living soul, created by God in His own image and likeness, in true righteousness and holiness unto eternal life.

He regarded him above all other creatures and adorned him with many great and glorious gifts. He placed him in the pleasure-garden or Paradise, and gave him a command and a prohibition.[7] After this He took a rib from this same Adam,[8] made a woman out of it, brought her to him, joining and giving her to him for a helpmate, companion, and wife, and consequently caused that from this one first man, Adam, all the people dwelling in the whole earth have generated and descended.[9]

---

[5] Genesis 1; Acts 14:15
[6] Genesis 1:27; 2:7
[7] Genesis 5:1; 2:17, 18
[8] Genesis 2:22
[9] Acts 17:26

2. Artikel.

Von der Übertretung des göttlichen Gebots durch Adam.

Wir glauben auch und bekennen, vermöge der heiligen Schrift, daß dieselbigen, unsere ersten Voreltern, Adam und Eva, in diesem herrlichen Stande, darinnen sie geschaffen waren, nicht lange geblieben sind, sondern es sind dieselben durch List und Betrug der Schlange und des Teufels Neid verleitet und verführet,[10] und haben das hohe göttliche Gebot übertreten und sind ihrem Schöpfer ungehorsam geworden; durch welchen Ungehorsam die Sünde in die Welt kommen ist[11] und durch die Sünde der Tod, und ist also zu allen Menschen durchgedrungen, angesehen daß sie Alle gesündiget haben und dadurch den Zorn Gottes und Verdammniß auf sich geladen;

Darum sie aus dem Paradies oder Lustgarten von Gott getrieben sind,[12] daß sie den Acker bauen, mit Kummer sich darauf ernähren und im Schweiße ihres Angesichts ihr Brod essen sollten, bis sie wieder zu Erden würden, davon sie genommen waren. Und daß sie deshalb durch solche Sünde so gar ferne von Gott abgefallen, gewichen und von ihm entfremdet worden sind, daß sie weder durch sich selber, noch durch Jemand ihrer Nachkommen, noch durch Engel, noch durch Menschen, oder durch eine

---

[10] 1 Mose 3:6;
[11] Römer 5:12. 18
[12] 1 Mose 3:23

Article 2

Of the transgression by Adam of the divine command

We believe also and confess, according to the Holy Scriptures, that these our first parents, Adam and Eve, did not long remain in the glorious state in which they had been created. Instead, they were seduced and misled by the cunning and deceit of the serpent and the envy of the devil,[10] and transgressed the high command of God and became disobedient to their Creator. Through this disobedience sin entered the world,[11] and death by sin has passed upon all men since all have sinned and thereby incurred the wrath of God and condemnation.

For this reason they were driven by God out of Paradise or the pleasure-garden,[12] to till the soil and to earn their living from it in sorrow, eating their bread in the sweat of their face until they returned to the earth from which they had come. Therefore through this one sin they fell so deeply and became so estranged and alienated from God that neither they themselves nor any of their descendants nor angels nor men nor any other

---

[10] Genesis 3:6
[11] Romans 5:12, 18
[12] Genesis 3:23

andere Creatur, im Himmel oder auf Erden, wiederum aufgeholfen, erlöset und mit Gott versöhnet werden konnten,[13] sondern daß sie ewig verloren bleiben müßten, sofern nicht Gott, der sich über sein Geschöpf wiederum erbarmet, hätte gnädig d'rein gesehen[14] und mit Seiner Liebe und Barmherzigkeit wäre dazwischen kommen.

3. Artikel

Von der Wiederaufrichtung und Versöhnung des menschlichen Geschlechts mit Gott.

Was die Wiederaufrichtung des ersten Menschen und seiner Nachkommen betrifft, davon bekennen und glauben wir, daß, unangesehen diesen ihren Fall, Uebertretung und Sünde, und obwohl bei ihnen gänzlich kein Vermögen war, Gott sie darum dennoch nicht ganz und gar hat verwerfen wollen, noch ewig verloren bleiben lassen, sondern, daß Er sie wiederum zu sich gerufen, getröstet und gezeiget hat, daß bei Ihm noch Mittel zur Versöhnung wären, nämlich: das unbefleckte Lamm (oder Sohn) Gottes, welches dazu bereits vor der Welt Anfang ersehen,[15] und ihnen, als sie noch im Paradies waren, zu Trost, Erlösung und Seligkeit, sowohl für sie als ihre Nachkömmlinge verheißen und zugesagt, ja ihnen von der Zeit an durch den Glauben als eigen gegeben und geschenkt ist,

---

[13] Psalm 49:8; Offenbarung 5:1-5
[14] Johannes 3:16
[15] Johannes 1:29; 1 Petrus 1:19, 20; 1 Mose 3:15; 1 Johannes 3:8; 2:1

creature in heaven or on earth could raise them up, redeem them, or reconcile them to God.[13] Rather, they would have had to remain eternally lost had not God been moved to compassion toward His creatures,[14] and in His love and mercy graciously intervened.

Article 3

Of the restoration and reconciliation of the human race with God

Concerning the restoration of the first man and his descendants, we confess and believe that—notwithstanding this their fall, transgression, and sin and their utter inability to help themselves—God was nevertheless not willing to cast them off entirely or to abandon them to be eternally lost. But He called them again to Himself, comforted them, and showed them that there was yet a means of reconciliation—namely, the unspotted Lamb, the Son of God, who had been foreordained to this purpose before the foundation of the world[15] and had been promised to them while they were yet in Paradise, for their consolation, redemption, and salvation, for themselves as well as for their descendants. Indeed, He was given to them as their own through faith from that time on.

---

[13] Psalms 49:7; Revelation 5:1-5
[14] John 3:16
[15] John 1:29; 1 Peter 1:19, 20; Genesis 3:15; 1 John 3:8; 2:1

Wonach alle frommen Altväter[16] hat verlanget, welchen
die Verheißung zum öftern erneuert ist, die darnach
geforschet und durch den Glauben von ferne nach Ihm
ausgesehen und auf die Erfüllung gewartet haben[17] daß,
wenn Er kommen würde, Er das gefallene menschliche
Geschlecht von seinen Sünden, Schuld und Ungerechtigkeit
wiederum erlösen, frei machen und aufhelfen sollte.

4. Artikel.

Von der Zukunft unseres Erlösers und Seligmachers Jesu Christi.

So glauben und bekennen wir ferner, daß, als die
Zeit der Verheißung, nach welcher alle frommen Altväter
so sehr verlanget und darauf gewartet haben, um und
erfüllet war,[18] daß damals dieser verheißene Messias,
Erlöser und Seligmacher von Gott ausgegangen, gesandt
und (nach der Weissagung der Propheten und Zeugnisse
der Evangelisten) in die Welt,[19] ja in's Fleisch kommen,
geoffenbaret und das Wort selbst Fleisch und Mensch
worden ist,[20] und daß Er in der Jungfrau Maria (die
verlobt war mit einem Manne, genannt Joseph, vom
Hause Davids) ist empfangen, und daß sie denselben als
ihren erstgebornen Sohn zu Bethlehem geboren,[21] in

---

[16] Ebräer 11:13, 39
[17] Galater 4:4
[18] Johannes 4:25
[19] Johannes 16:28
[20] 1 Timotheus 3:16; Johannes 1:14; Matthäus 1:22
[21] Lukas 2:7, 21; Micha 5:2

It was this that all the devout patriarchs[16] longed for, having had the promise frequently renewed, who inquired after it and by faith looked forward from afar in expectation of its fulfillment.[17] They believed that when He came He would restore, liberate, and raise up the fallen human race from their sins, guilt, and unrighteousness.

Article 4

Of the coming of our Redeemer and Saviour
Jesus Christ

We further believe and confess that when the time of the promise, for which all the devout patriarchs had so ardently longed and waited upon, had come and been fulfilled,[18] then this promised Messiah, Redeemer, and Saviour proceeded from God and was sent into the world[19] (as foretold by the prophets and recorded by the gospel writers), yea, came into the flesh and was revealed and the Word Himself became flesh and man.[20] He was conceived in the Virgin Mary (who was engaged to a man named Joseph of the house of David), and she gave birth to the same as her firstborn son in Bethlehem,[21] wrapped Him in swaddling clothes

---

[16] Hebrews 11:13, 39
[17] Galatians 4:4
[18] John 4:25
[19] John 16:28
[20] 1 Timothy 3:16; John 1:14; Matthew 1:22
[21] Luke 2:7, 21; Micah 5:2

Windeln gewickelt und in eine Krippe gelegt hat.

Wir bekennen und glauben auch, daß dieser derselbige
ist, dessen Ausgang von Anfang und von Ewigkeit gewesen
ist,[22] ohne Anfang der Tage oder Ende des Lebens; der
selber das A und O, Anfang und Ende, der Erste und
der Letzte bezeuget wird zu sein;[23] daß dieser auch derselbe
ist und kein Anderer, der ausersehen, verheißen, gesandt
und in die Welt kommen, und der Gottes einiger, erster
und eigener Sohn.[24]

Der vor Johannes dem Täufer, vor Abraham, vor
der Welt war, ja Davids Herr und aller Welt Gott ist;
der Erstgeborene vor allen Creaturen,[25] der in die Welt
gebracht und ihm ein Leib bereitet ist, welchen Er selber
zu einem Opfer und Gabe übergeben hat Gott zu einem
süßen Geruch, ja zu Trost, Erlösung und Seligkeit für
alle, und das ganze menschliche Geschlecht.

Was aber anlanget wie und auf welche Weise dieser
würdige Leib bereitet, und wie das Wort Fleisch, und er
selbst Mensch geworden ist,[26] darinnen sind wir vergnüget
mit der Erklärung, welche die heiligen Evangelisten in
ihrer Beschreibung davon getan und nachgelassen haben,
nach welcher wir sammt allen Heiligen Ihn bekennen
und halten für den Sohn des lebendigen Gottes, in

---

[22] Ebräer 7:3
[23] Offenbarung 1:8, 18
[24] Johannes 3:16; Römer 8:32
[25] Kolosser 1:15; Ebräer 10:5
[26] Lukas 1:30, 31; Johannes 20:31; Matthäus 16:16

and laid Him in a manger.

We confess and believe also that He is the same whose goings forth have been from of old, from everlasting,[22] without beginning of days or end of life. Of Him it is testified that He is the Alpha and the Omega, the beginning and the end, the first and the last.[23] He is the same and no other who was foreordained, promised, sent, and came into the world, who was God's only, first, and own Son.[24]

He was before John the Baptist, before Abraham, before the world; yes, He was David's Lord and the God of all the world, the first-born of all creatures[25] who was brought into the world and for whom a body was prepared, which He Himself yielded up as an offering and a sacrifice in sweet fragrance to God. This was for the comfort, redemption, and salvation of all—for the whole human race.

But as to how and in what manner this worthy body was prepared and how the Word became flesh and He Himself man,[26] in this we content ourselves with the explanation given by the faithful evangelists in their writings. Accordingly, we confess and acknowledge with all the saints that He is the Son of the Living God in Whom all our

---

[22] Hebrews 7:3
[23] Revelation 1:8, 18
[24] John 3:16; Romans 8:32
[25] Colossians 1:15; Hebrews 10:5
[26] Luke 1:30, 31; John 20:31; Matthew 16:16

welchem all' unsere Hoffnung, Trost, Erlösung und Seligkeit bestehet, und daß wir dieselbe auch in Niemanden anders mögen noch sollen suchen.

Weiter glauben und bekennen wir mit der Schrift, nachdem Er seinen Lauf hier vollendet und das Werk, darum Er gesandt und in die Welt kommen war, vollbracht hatte, daß Er nach Gottes Vorsehung ist überantwortet in die Hände der Ungerechten, und daß Er unter dem Richter Pontio Pilato gelitten hat,[27] daß Er gekreuziget,[28] gestorben, begraben, am dritten Tage vom Tode wieder auferstanden und gen Himmel gefahren ist,[29] und daß Er sitze zur rechten Hand Gottes, der Majestät in der Höhe, von dannen Er kommen wird zu richten die Lebendigen und die Todten.

Und daß also der Sohn Gottes gestorben ist, für alle den Tod geschmecket und Sein teuerbar Blut vergossen hat, und daß Er dadurch der Schlange den Kopf zertreten, die Werke des Teufels zerstöret, die Handschrift zunichte gemacht[30] und Vergebung der Sünden für das ganze menschliche Geschlecht erworben hat, und daß Er also eine Ursache der ewigen Seligkeit geworden ist für alle diejenigen (von Adam an bis an der Welt Ende),[31] deren ein Jeder in seiner Zeit an ihn glauben und gehorsam sein wird.

---

[27] Lukas 22:53; 23:1
[28] Lukas 24:5, 6
[29] Lukas 24:51
[30] 1 Mose 3:15; 1 Johannes 3:8; Kolosser 2:14
[31] Römer 5:18

hope, comfort, redemption, and salvation is based. We cannot and ought not seek the same in any other.

Further, we believe and confess with Scripture that after He had finished His course and accomplished the work for which He was sent and came into the world, He was delivered by the providence of God into the hands of the unrighteous, suffered under the ruler Pontius Pilate,[27] was crucified,[28] died, was buried, and on the third day rose again from the dead and ascended to heaven.[29] There He is seated at the right hand of God in majesty on high, from whence He will come to judge the living and the dead.

And that thus the Son of God died, having tasted death and shed His blood for all men. He thereby bruised the serpent's head, destroyed the works of the devil, blotted out the handwriting[30] and obtained forgiveness of sins for the whole human race, thus effecting eternal salvation for all those who from the days of Adam until the end of the world,[31] each in his time, believe in Him and obey Him.

---

[27] Luke 22:53; 23:1
[28] Luke 24:5, 6
[29] Luke 24:51
[30] Genesis 3:15; 1 John 3:8; Colossians 2:14
[31] Romans 5:18

5. Artikel.

Von der Einsetzung des neuen Testaments durch unsern Herrn Jesum Christum.

Glauben und bekennen wir auch, daß Er vor Seiner Himmelfahrt Sein neu Testament aufgerichtet, eingesetzt, und nachdem es ein ewig Testament sein und bleiben sollte,[32] daß Er dasselbe mit Seinem teuerbaren Blut befestigt und versiegelt, den Seinigen gegeben und hinterlassen,[33] ja so hoch geboten und befohlen hat, daß dasselbe weder durch Engel noch durch Menschen verändert, noch davon ab noch dazu getan werden mag;[34]

Und daß Er dasselbe, was darin begriffen, durch den ganzen und vollen Rath und Willen Seines himmlischen Vaters (so viel zur Seligkeit vonnöten ist) durch Seine lieben Apostel, Botschafter und Diener, die Er dazu berufen, erwählet und in alle Welt gesandt hat und unter allen Völkern, Nationen und Zungen in Seinem Namen lassen verkündigen, predigen und bezeugen Buße und Vergebung der Sünden;[35]

Und daß Er demnach darin alle Menschen ohne Unterschied, sofern als sie dem Inhalt desselben durch den Glauben als gehorsame Kinder würden nachfolgen

---

[32] Jeremia 31:31; Ebräer 9:15-17
[33] Matthäus 26:28
[34] Galater 1:8; 1 Timotheus 6:3
[35] Johannes 15:15; Matthäus 28:19; Markus 16:15; Lukas 24:46, 47

Article 5

Of the advent of the New Testament through our
Lord Jesus Christ

We also believe and confess that before His ascension, He set up and established His New Testament.[32] And because it was to be and remain an eternal testament, He confirmed and sealed the same with His precious blood, giving and leaving it to His own;[33] indeed, charged them so highly with it that neither angels nor men may change it nor take away nor add anything to it.[34]

And that the same [Testament] and what it contained, by the entire and full counsel and will of His Heavenly Father (as much as was needed for salvation), He caused to be proclaimed by His beloved apostles, messengers, and servants— having called, chosen, and commissioned them to go into the whole world for that purpose—to preach and testify in His name of repentance and forgiveness of sins to all peoples, nations, and tongues.[35]

And that He accordingly wished therein to declare all men without distinction to be His children and rightful heirs, insofar as they through

---

[32] Jeremiah 31:31; Hebrews 9:15-17
[33] Matthew 26:28
[34] Galatians 1:8; 1 Timothy 6:3
[35] John 15:15; Matthew 28:19; Mark 16:15; Luke 24:46, 47

und beleben, für Seine Kinder und rechtmäßigen Erben
hat wollen erklären,[36] also, daß Er von der würdigen
Erbschaft der ewigen Seligkeit Niemand ausschließt noch
ausgeschlossen hat, als nur allein die ungläubigen,
ungehorsamen, halsstarrigen und unbußfertigen Menschen,
die dasselbe verachten, und durch ihre eigene selbst
begangene Sünde verschulden, und sich dazu also des
ewigen Lebens unwürdig machen.[37]

6. Artikel.

Von der Buße und Besserung des Lebens.

Glauben und bekennen wir, nachdem das Dichten
und Trachten des menschlichen Herzens böse ist von Jugend
auf[38] und derhalben zu aller Ungerechtigkeit, Sünde und
Bosheit geneigt, daß daher die erste Lection des würdigen
Neuen Testaments des Sohnes Gottes Buße und Besserung des Lebens ist;[39]

Und daß darum die Menschen Ohren haben, daß sie
hören, und Herzen haben, daß sie verstehen, rechtschaffene
Früchte der Buße tun, ihr Leben bessern, dem Evangelio
glauben, das Böse lassen, das Gute tun, vom Unrecht
aufhören und von Sünden ablassen, den alten Mensch
mit seinen Werken ausziehen und den neuen antun, der

---

[36] Römer 8:17
[37] Apostelgeschichte 13:46
[38] 1 Mose 8:21
[39] Markus 1:15; Hezekiel 12:2

faith as obedient children heed, follow, and practice the essence of the same.[36] Further, that from this precious inheritance of eternal salvation He has excluded no one except the unbelieving, the disobedient, the headstrong, and the unrepentant who despise the same and through their own self-committed sins incur guilt, thereby making themselves unworthy of eternal life.[37]

Article 6

Of repentance and amendment of life

We believe and confess, since the thoughts and intents of a man's heart are evil from his youth[38] and he is consequently inclined to every unrighteousness, sin, and evil, that therefore the first lesson of the worthy New Testament of the Son of God is repentance and amendment of life.[39]

And that, therefore, mankind has ears to hear and hearts to understand in order to bring forth genuine fruits of repentance, amend their lives, believe the Gospel, depart from evil and do good, cease from wrong and forsake sin, putting off the old man with his deeds and putting on the new

---

[36] Romans 8:17
[37] Acts 13:46
[38] Genesis 8:21
[39] Mark 1:15; Ezekiel 12:1

nach Gott geschaffen in rechtschaffener Gerechtigkeit und Heiligkeit.[40]

Denn weder Taufe, Abendmahl, Gemeine, noch eine andere äußerliche Ceremonie ohne Glauben und Wiedergeburt, Veränderung oder Erneuerung des Lebens, mag helfen Gott zu gefallen,[41] oder einigen Trost oder Verheißung der Seligkeit von Ihm zu erlangen.

Sondern man muß mit wahrem und vollkommenem Glauben zu Gott gehen[42] und an Jesum Christum glauben, als die Schrift sagt und von Ihm zeuget,[43] durch welchen Glauben man Vergebung der Sünden erlanget, geheiliget, gerechtfertiget und Kinder Gottes, ja Seines Sinnes und Wesens teilhaftig wird,[44] als die durch den unvergänglichen Samen von oben herab neu aus Gott wiedergeboren sind.

7. Artikel.

Von der heiligen Taufe.

Was die Taufe angeht, davon glauben und bekennen wir,[45] daß alle bußfertigen Gläubigen, die durch den Glauben, Wiedergeburt und Erneuerung des heiligen Geistes mit Gott vereiniget und im Himmel angeschrieben

---

[40] Kolosser 3:9, 10
[41] Epheser 4:21, 22
[42] Ebräer 10:22
[43] Johannes 7:38
[44] 2 Petrus 1:4
[45] Apostelgeschichte 2:38

man which is created after God in true
righteousness and holiness.[40]

For neither baptism nor the Lord's Supper nor
church membership, nor any other outward
ceremony can without faith and the new birth,
change or renewal of life, avail anything to please
God[41] or to obtain from Him any consolation or
promise of salvation.

On the contrary, one must go to God in true
and perfect faith[42] and believe in Jesus Christ as
the Scriptures say and testify of Him.[43] Through
this faith we obtain forgiveness of sins, are
sanctified, justified, and made children of God; yea,
partake of His mind, nature, and image,[44] as being
newly born again of God through the incorruptible
seed from above.

Article 7

Of holy baptism

With regard to baptism, we believe and
confess[45] that all penitent believers who through
faith, the new birth, and the renewing of the Holy
Spirit are united with God and written in heaven,

---

[40] Colossians 3:9, 10
[41] Ephesians 4:21, 22
[42] Hebrews 10:21, 22
[43] John 7:38
[44] 2 Peter 1:4
[45] Acts 2:38

sind, auf sotanes schriftmäßiges Bekenntniß des Glaubens, nach dem Befehl Christi, Lehr, Exempel und Gebrauch der Apostel[46] sollen in desselbigen hochwürdigen Namen des Vaters und des Sohnes und des heiligen Geistes, zu Begrabung ihrer Sünden, mit Wasser getauft, und also in die Gemeinschaft der Heiligen einverleibt werden, und dann ferner lehren unterhalten alles was der Sohn Gottes die Seinigen gelehret, ihnen hinterlassen und befohlen hat.

8. Artikel.

Von der Gemeinde Gottes.

Wir glauben und bekennen eine sichtbare Gemeine Gottes, nämlich die also, wie oben gemeldet, rechte wahre Buße tun, recht glauben und recht getauft sind, mit Gott im Himmel vereiniget und sie in die Gemeinschaft der Heiligen hier auf Erden recht einverleibt sind.[47] Dieselben bekennen wir zu sein das auserwählte Geschlecht, das königliche Priestertum,[48] das heilige Volk, welche bezeuget werden Christi Braut und Hausfrau, ja Kinder und Erben des ewigen Lebens zu sein,[49] ein Tabernakel, Hütte und Wohnstatt Gottes, gebaut auf den Grund der Apostel und Propheten, dessen Christus selbst der Eckstein, auf

---

[46] Matthäus 28:19, 20; Römer 6:4; Markus 16:16; Matthäus 3:15; Apostelgeschichte 8:12; 9:18; 10:47; 16:33; Kolosser 2:11, 12

[47] 1 Korinter 12:13

[48] 1 Petrus 2:9

[49] Johannes 3:29; Offenbarung 19:7; Titus 3:6, 7; Epheser 2:19-21; Matthäus 16:18

must upon such Scriptural confession of faith—
according to the command of Christ, the teaching,
example, and practice of the Apostles[46]—be
baptized with water in the most worthy name of
the Father, Son, and Holy Spirit, to the burying of
their sins and thus be incorporated into the
fellowship of the saints, henceforth to learn to
observe all that the Son of God taught, left on
record, and commanded His followers to do.

Article 8

Of the church of God

We believe in and confess a visible church of
God, namely of those who, as explained above, truly
repent, rightly believe and are rightly baptized,
united with God in heaven and have been rightly
incorporated into the fellowship of the saints here
on earth.[47] These we acknowledge to be the chosen
generation, the royal priesthood,[48] the holy people,
who are declared to be the bride and wife of Christ,
yes, children and heirs of eternal life,[49] a tent,
tabernacle, and dwelling place of God in the Spirit,
built upon the foundation of the apostles and

---

[46] Matthew 28:19, 20; Romans 6:4; Mark 16:16; Matthew 3:15; Acts 2:38; 8:12;
9:18; 10:47; 16:33; Colossians 2:11, 12
[47] 1 Corinthians 12:13
[48] 1 Peter 2:9
[49] John 3:29; Revelation 19:7; Titus 3:6, 7; Ephesians 2:19-21; Matthew 16:18

welchem Seine Versammlung gestiftet ist, zu sein bezeuget wird.

Diese Gemeinde des lebendigen Gottes, die Er durch Sein teuerbares Blut erworben, gekauft und erlöset hat, bei welcher Er, vermöge Seiner Verheißung, zu Trost und Beschirmung alle Tage bis an der Welt Ende sein und bleiben,[50] ja unter ihnen wohnen und wandeln will, und sie bewahren, daß sie kein Strom noch Platzregen, ja die Pforten der Hölle selbst nicht sollen bewegen noch überwältigen. Dieselbige mag man erkennen an dem schriftmäßigen Glauben, Lehre, Liebe und gottseligem Wandel, also auch an einem fruchtbaren Leben, Gebrauch und Unterhaltung der wahren Ordnungen Christi, welche Er bei den Seinigen so hoch geboten und befohlen hat.

9. Artikel.

Von der Erwählung der Diener in der Gemeinde.

Was die Dienste und Erwählungen in der Gemeinde betrifft, glauben und bekennen wir, dieweil die Gemeinde ohne Dienst und Ordnung im Wachstum nicht bestehen noch im Bau bleiben kann, daß der Herr Christus selbst (als ein Hausvater in Seinem Hause) Seine Dienste und Ordnungen eingesetzt, ordinirt,[51] geboten und befohlen

---

[50] 1 Petrus 1:18, 19; Matthäus 28:20; 2 Korinther 6:16; Matthäus 7:25; 16:18
[51] Epheser 4:10-12

prophets, of which Christ Himself is declared to be the cornerstone (upon which His church is built).

This church of the living God which He through His precious blood acquired, purchased, and redeemed, He has promised to comfort and protect every day until the end of the world;[50] yes, He will dwell among them, walk with them, and preserve them so that no flood nor tempest nor even the gates of hell shall move them or prevail against them. The same can be identified by her Scriptural faith, teaching, love and godly walk. And also by the fruitful observance, practice, and keeping of the true ordinances of Christ, which He so highly enjoined and commanded to His followers.

Article 9

Of the choosing of ministers in the church

With regard to offices and elections in the church, we believe and confess—since the church cannot exist and prosper nor continue in its growth without offices and an orderly structure—that the Lord Christ Himself as a husbandman in His own house has instituted, ordained,[51] enjoined, and commanded offices and ordinances, and how each

---

[50] 1 Peter 1:18, 19; Matthew 28:20; 2 Corinthians 6:16; Matthew 7:25: 16:18
[51] Ephesians 4:10-12

hat, wie ein Jeder darin wandeln, sein Werk und Beruf wahrnehmen, und wie sich's gebühret tun soll;

Gleich Er, als der getreue große Oberst, Hirte und Bischof unserer Seelen,[52] darum gesandt und in die Welt gekommen ist, nicht zu verletzen, zerbrechen oder die Seelen der Menschen zu verderben, sondern daß Er sie heile und gesund mache,[53] das Verlorene suche, den Zaun und die Mittelwand abbreche, aus zweien eins mache, und also aus Juden, Heiden und allen Geschlechtern eine Heerde in einer Gemeinschaft in Seinem Namen versammle, dafür Er selber (auf daß Niemand verloren gehen sollte) Sein Leben gelassen und ihnen zur Seligkeit also gedienet,[54] sie frei gemacht und erlöset hat (gemerkt:) darin ihnen von Niemand anders könnte gedienet und geholfen werden.[55]

Und daß Er dieselbe Seine Gemeinde vor Seinem Abschied auch mit getreuen Dienern, Aposteln, Evangelisten, Hirten und Lehrern (welche mit Bitten und Flehen durch den heiligen Geist erwählet) besetzt hat gelassen,[56] auf daß sie die Gemeine regieren, Seine Heerde weiden, darüber wachen, ihr vorstehen und sie versorgen, ja in Allem tun sollten, wie Er ihnen vorgegangen, gelehret,[57] getan und ihnen befohlen hat zu lehren und unterhalten, was Er ihnen geboten hatte.

---

[52] 1 Petrus 2:25; Matthäus 12:20; 18:11

[53] Epheser 2:14; Galater 3:28

[54] John 10:9; 11:15

[55] Psalm 49:8

[56] Epheser 4:11; Lukas 10:1; 6:12, 13

[57] Johannes 2:15; Matthäus 28:20

person is to walk therein, give heed to, and fulfill his own work and calling as he ought.

Even as He Himself, the faithful great Chief-Shepherd and Bishop of our souls[52] was sent and came into the world, not to wound or break or to destroy the souls of men, but that He might heal and restore them,[53] seek the lost, break down the barrier and middle wall of partition, make one out of two, and from Jews, Gentiles, and every nation to gather one flock in one fellowship together in His name. For this He Himself—so that no one should be lost —laid down His life and thus procured their salvation,[54] set them free and redeemed them, (take note,) when there was no one else who could have ministered to them or helped them.[55]

And that before His departure He also provided His church with faithful ministers, apostles, evangelists, pastors, and teachers[56] (whom He with prayer and supplication through the Holy Spirit had chosen), so that they would govern the church, feed His flock, watch and preside over them and look after them, yes, do in all things as He set the example, taught[57] and charged them to teach and observe whatever He had commanded them.

---

[52] 1 Peter 2:25; Matthew 12:20; 18:11
[53] Ephesians 2:14; Galatians 3:28
[54] John10:9; 11:15
[55] Psalms 49:7
[56] Ephesians 4:11; Luke 10:1; 6:12, 13
[57] John 2:15; Matthew 28:20

Daß auch desgleichen die Apostel darnach, als getreue Nachfolger Christi und Vorgänger der Gemeine, hierin sind sorgfältig und fleißig gewesen[58] mit Bitten und Flehen zu Gott, durch Erwählung der Brüder, um alle Städte, Oerter oder Gemeinen mit Bischöfen, Hirten und Vorgängern zu versorgen, und solche Personen zu ordiniren,[59] die Acht auf sich selbst, auf die Lehre und Heerde möchten haben, die gesund im Glauben, fromm an Leben und Wandel, und die sowohl außerhalb als in der Gemeine von gutem Lobe und Gerüchte würden sein, auf daß sie ein Exempel, Licht und Vorbild in aller Gottseligkeit und guten Werken möchten sein, und nach des Herrn Ordnung Taufe und Abendmahl würdiglich bedienen.

Und daß sie auch allwege (da sie zu bekommen sind) getreue Menschen, tüchtig Andere zu lehren,[60] zu Aeltesten sollten bestellen, dieselben mit Handauflegen im Namen des Herrn bestätigen und alle nötigen Dinge der Gemeine ferner versorgen nach Vermögen, auf daß sie als getreue Knechte ihres Herrn Talent oder Pfund wohl anlegen,[61] Gewinn damit zu tun, und so folgends sich selber möchten fördern zur Seligkeit, wie auch die sie hören.

Und daß sie emsig wahrnehmen sollten, insonderheit ein Jeder unter den Seinigen, über die er Aufsicht hat, daß alle Städte mit Diaconen (um Achtung und Aufsicht über die Armen zu halten) wohl versehen und versorgt

---

[58] 1 Timotheus 3:1; Apostelgeschichte 1:23, 24; Titus 1:5
[59] 1 Timotheus 4:16; Titus 2:1, 2; 1 Timotheus 3:7
[60] 2 Timotheus 2:2; 1 Timotheus 4:14; 5:2;
[61] Lukas 19:13

And also, the apostles as faithful followers of Christ and leaders of the church were likewise careful and diligent in this respect,[58] with prayer and supplication to God choosing brethren to provide every city, place, or church with bishops, pastors, and leaders. And to ordain such persons[59] who would take heed to themselves, to the doctrine, and to the flock—who were sound in the faith, godly in life and conduct, of good report and reputation within as well as outside the church—so that they might be an example, light, and pattern in all godliness and good works, worthily administering the Lord's ordinances of baptism and Communion.

And that they were to appoint, in all places where such could be found, faithful men as elders who were able to teach others,[60] confirming the same with the laying on of hands in the name of the Lord, to minister to all the needs of the church according to their ability, so that they as faithful servants might wisely invest their Lord's talent,[61] gain by it, and consequently further their own salvation as well as those who hear them.

And that they should also be diligent—especially each among his own over which he has oversight—to see that every place is well provided for with deacons to look after and care for the

---

[58] 1 Timothy 3:1; Acts 1:23, 24; Titus 1:5
[59] 1 Timothy 4:16; Titus 2:1, 2; 1 Timothy 3:7
[60] 2 Timothy 2:2; 1 Timothy 4:14; 5:2
[61] Luke 19:13

werden möchten,[62] die Handreichung und Almosen empfangen und wiederum an die armen Heiligen, so notdürftig sind, getreulich möchten austeilen mit aller Ehrbarkeit, als sich's geziemet.

Und daß man auch ehrbare alte Wittwen zu Dienerinnen ordiniren und erwählen sollte,[63] daß die nebst den Diaconen die armen, schwachen, kranken, betrübten und notdürftigen Menschen, also auch Wittwen und Waisen besuchen, trösten und versorgen,[64] und ferner die nötigen Sachen der Gemeine helfen wahrzunehmen nach all ihrem Vermögen.

Und was noch ferner die Diaconen-Diener anlangt, daß dieselben absonderlich,[65] wenn sie tüchtig und von der Gemeine dazu erkoren und ordinirt worden (zur Hilfe und Erleichterung der Aeltesten), die Gemeine auch wohl mögen ermahnen, und mit im Wort und Lehre arbeiten, und ein Jeder also dem Andern aus Liebe zu dienen mit der Gabe, die er vom Herrn empfangen hat, auf daß durch gemeinen Dienst und Handreichung von jeglichem Gliede, ein Jeder in seinem Maße, der Leib Christi gebessert und des Herrn Weinstock und Gemeine im Wachstum, Zunehmung und Bau möge bleiben, wie sich's gebührt.

---

[62] Apostelgeschichte 6:3-6
[63] 1 Timotheus 5:9; Römer 16:1
[64] Jakobus 1:27
[65] Some later editions have the comma preceding the word *absonderlich*. The original Dutch has no comma.

poor,[62] that they may receive gifts and alms money and in turn faithfully distribute the same with all honesty to the poor saints in need, which is fitting.

And that also honorable aged widows should be chosen and ordained as deaconesses[63] so that they along with the deacons may visit, comfort, and care for the poor, feeble, sick, sorrowing, and needy as well as widows and orphans,[64] and to further assist in attending to other necessities of the church to the best of their ability.

And what further concerns the deacons, that they may also especially—if they are capable and have been chosen and ordained thereto by the church for the assistance and relief of the elders— exhort the church and labor in the Word and in teaching. Thus each can minister unto the other in love with the gift that he has received from the Lord, so that through mutual service and the assistance of every member, each in his own ability, the body of Christ may be made better and the Lord's vineyard and church continue in its growth, advancement, and structure as is proper.

---

[62] Acts 6:3-6
[63] 1 Timothy 5:9; Romans 16:1
[64] James 1:27

10. Artikel

Vom hochwürdigen Abendmahl des Herrn.

Wir bekennen und unterhalten gleichermaßen ein Brodbrechen oder Abendmahl,[66] wie der Herr Christus vor Seinem Leiden solches mit Brod und Wein eingesetzt und auch mit Seinen Aposteln selbst gebraucht und gegessen, und ihnen zu Seinem Gedächtnisse zu unterhalten befohlen hat, und wie sie folgends solches auch in der Gemeine gelehret, darnach gelebt und den Glauben zu unterhalten geboten und befohlen haben, zum Gedächtniß des Herren Tod, Leiden und Sterben, und daß Sein würdiger Leib für uns und das ganze menschliche Geschlecht gebrochen und Sein teures Blut vergossen ist;

Wie auch daneben die Frucht desselbigen, nämlich die Erlösung und ewige Seligkeit, welche er dadurch erworben und an uns sündigen Menschen solche Liebe bewiesen hat, wodurch wir aufs Höchste vermahnet werden, uns unter einander, und unsern Nächsten wiederum lieb zu haben, verzeihen und vergeben, wie Er uns getan hat, und auch gedenken zu unterhalten und zu beleben die Einigkeit und die Gemeinschaft,[67] die wir mit Gott und unter uns haben; wieselbige uns also bei solchem Brechen des Brodes angewiesen und bezeichnet wird.

---

[66] Matthäus 26:26; Markus 14:22; Apostelgeschichte 2:42; 1 Korinther 10:16; 11:23-26
[67] Apostelgeschichte 2:46

Article 10

Of the venerable Lord's Supper

We likewise confess and observe a breaking of bread or Supper [communion][66] such as the Lord Christ Jesus before His suffering instituted with bread and wine, and which He Himself observed and ate with His apostles, directing them to keep it in His remembrance. They accordingly taught the same in the church, practiced it, and in support of the faith enjoined and commanded that it should be kept in commemoration of the Lord's death, His suffering and dying. And that His worthy body was broken and His precious blood shed for us and the whole human race.

And in addition, also the fruit of the same, namely the redemption and eternal salvation which He thereby purchased and bestowed on us sinful men with such great love, by which we are highly admonished to love one another and our neighbor, to absolve and forgive them just as He did the same for us. And also to be mindful to observe and practice this unity and the fellowship[67] which we have with God and each other—as pointed out to us and signified by this breaking of bread.

---

[66] Matthew 26:26; Mark 14:22; Acts 2:42; 1 Corinthians 10:16; 11:23-26
[67] Acts 2:46

11. Artikel.

Vom Fußwaschen.

Bekennen und billigen wir auch ein Fußwaschen der
Heiligen, gleichwie der Herr Christus selbst dasselbe nicht
allein eingesetzt, geboten und befohlen, sondern auch Seinen
Aposteln (ob Er wohl ihr Herr und Meister war) die
Füße gewaschen hat,[68] und damit ein Exempel gegeben,
daß sie dergleichen auch untereinander die Füße waschen
und also tun sollten, gleichwie Er ihnen getan hatte,
welches sie auch folgends die Gläubigen zu unterhalten
fortan gelehrt haben.[69] Alles zu einem Zeichen der wahren
Demut und Niedrigkeit,[70] als auch insonderheit bei diesen
Fußwaschen zu gedenken das rechte Waschen, da wir
durch Sein teuerbares Blut mit gewaschen und der Seele
nach gereiniget sind.

12. Artikel.

Vom heiligen Ehestand.

So bekennen und gestehen wir in der Gemeine Gottes
einen ehrlichen Ehestand von zwei freien gläubigen
Personen, in Maßen und wie ihn Gott anfänglich im
Paradiese ordinirt und mit Adam und Eva selbst eingesetzt

---

[68] Johannes 13:4-17
[69] 1 Timotheus 5:10
[70] 1 Mose 18:4; 19:2

Article 11

Of footwashing

We also confess and approve of a washing of the saints' feet just as the Lord Christ Himself not only instituted, enjoined, and commanded, but as He personally—although He was their Lord and Master—washed His apostles' feet.[68] Thereby He set an example that they should in the same way wash each others' feet just as He had done to them, which they also from that time on taught the believers to observe.[69] All as a sign of true humility and lowliness,[70] as well as by this feet washing to especially recall the true washing whereby we are washed by His precious blood and our souls made pure.

Article 12

Of holy matrimony

We confess and believe that in the church of God there is an honorable state of matrimony of two free believing persons, in accord with and as God originally ordained in Paradise and

---

[68] John 13:4-17
[69] 1 Timothy 5:10
[70] Genesis 18:4; 19:2

hat.[71] Und gleichwie der Herr Christus alle Mißbräuche des Ehestandes, so mittlerer Zeit aufgekommen waren, abgekehrt,[a] weggeräumt und Alles wieder auf die erste Ordnung gewiesen, und es dabei gelassen hat,[72] in solcher Fuge hat auch der Apostel Paulus den Ehestand in der Gemeine gelehret, zugelassen und einem Jeglichen freigestellet, daß er nach der ersten Ordnung im Herrn möge heiraten an Alle und Jede, die man dazu bewegen kann.[73]

Mit welchen Worten (in dem Herrn) muß nach unserer Meinung verstanden werden, daß gleichwie die Altväter an ihre Gesippschaft oder Geschlecht heiraten mußten,[74] auch gleichfalls im neuen Testament den Gläubigen keine Freiheit vergönnet und zugelassen ist, als nur allein unter dem auserkorenen Geschlechte und geistlichen Verwandtschaft Christi ehelichen zu mögen, nämlich an Diejenigen (und keine Andern), die erst und zwar zuvor mit der Gemeine in ein Herz und Seele vereiniget sind, eine Taufe empfangen haben, und in einer Gemeinschaft, Glauben, Lehre und Belebung[b] stehen, ehe daß sie durch den Ehestand sich mit einander mögen vereinigen. Sothanige werden obgemeldeter Maßen dann, nach der ersten Ordnung von Gott in Seiner Gemeine zusammengefügt,[75] und das heißt dann: Im Herrn trauen oder heiraten.

---

[71] 1 Mose 1:27; 2:18-24
[a] Some later editions have abgewehrt.
[72] Matthäus 19:4-6
[73] 1 Korinther 7
[74] 1 Mose 24; 2 Mose 28
[b] Some later editions have Belehrung.
[75] 1 Korinther 7:39

established with Adam and Eve.[71] And just as the Lord Christ removed and swept away all the abuses of marriage which had meanwhile crept in, and restored everything to the original order and left it there,[72] so also the Apostle Paul in like manner taught and permitted matrimony, granting to each one the free choice to marry according to the original order in the Lord, to all and each who would give consent.[73]

These words, "in the Lord", must in our opinion be interpreted to mean that even as the patriarchs were allowed to marry only from among their own tribes and kindred,[74] similarly the believers of the New Testament are granted and permitted no other liberty than to marry only from among the chosen generation and spiritual kindred of Christ; namely, from among those (and no others) who are already, previously, united with the church in one heart and soul, having received the same baptism and standing in the same communion, faith, doctrine, and practice, before they may be united with one another in marriage. Such are then, in the above manner, joined together according to the original order of God in the church,[75] and this is known as "marrying in the Lord."

---

[71] Genesis 1:27; 2:18-24
[72] Matthew 19:4-6
[73] 1 Corinthians 7
[74] Genesis 24; Genesis 28
[75] 1 Corinthians 7:39

13. Artikel.

Von der Obrigkeit.

So bekennen, glauben und gestehen wir auch, daß Gott die Macht und Obrigkeit ordinirt hat[76] und zur Strafe über das Böse gestellt und zu beschützen das Gute, und ferner die Welt zu regieren, Land und Städte, zusammt ihren Untertanen in guter Polizei und Ordnung zu unterhalten,[77] und daß wir daher dieselbe nicht sollen verachten noch lästern oder widerstehen,[78] sondern, daß wir sie als eine Dienerin Gottes erkennen, ehren, untertänig und gehorsam, ja zu allen guten Werken bereit sein müssen, insonderheit in demjenigen, wo Gottes Wort, Willen und Gebot nicht widerstritten ist.

Und ihr auch getreulich Zoll, Accise und Schatzung zu bezahlen, und was ihr zugehöret zu geben, gehalten und schuldig sind, gleichwie der Sohn Gottes gelehret, auch selbst getan und den Seinigen geboten und befohlen hat auch also zu tun.[79] Daß wir auch über das den Herrn für sie und ihren Wohlstand und des Landes Bestes stets und ernstlich anrufen und bitten müssen, auf daß wir unter ihrem Schutz und Schirm mögen wohnen, uns ernähren, und ein stilles, ruhiges Leben führen in aller Gottseligkeit und Ehrbarkeit;[80] und ferner,

---

[76] Römer 13:1-7
[77] Titus 3:1
[78] 1 Petrus 2:17
[79] Matthäus 17:27; 22:17-21
[80] 1 Timotheus 2:1, 2

Article 13

Of civil government

We also confess, believe, and acknowledge that God has ordained the powers and governments[76] and has set them up to punish the evil and to protect the good; and further, to govern the world and maintain good order and regulation in cities and countries, and among their subjects.[77] Hence we dare not despise, revile, or resist the same,[78] but recognize and honor them as a minister of God, being subject and obedient to them and ready for every good work, particularly in that which is not in conflict with God's law, will, and commandment.

Likewise, to faithfully pay custom, tribute, and taxes, rendering to them their dues even as the Son of God taught and Himself practiced, and commanded His followers to do.[79] We are moreover to pray constantly and earnestly to the Lord for them and their welfare and for the prosperity of the country, so that we may dwell under their protection, earn our living, and lead a quiet and peaceable life in all godliness and honesty.[80] Further, that the Lord would reward and repay

---

[76] Romans 13:1-7
[77] Titus 3:1
[78] 1 Peter 2:17
[79] Matthew 17:27; 22:17-21
[80] 1 Timothy 2:1, 2

daß der Herr alle Wohltat, Freiheit und Gunst, welche wir unter ihrer löblichen Regierung genießen, ihr hie zeitlich, und hernach dort in Ewigkeit wolle belohnen und vergelten.

14. Artikel.

Von der Rache und Gegenwehr.

Was die Rache angehet, dem Feinde mit dem Schwert zu widerstehen, davon glauben und bekennen wir, daß der Herr Christus Seinen Jüngern und Nachfolgern alle Rache und Widerrache untersagt und verboten hat, und hingegen geboten und befohlen,[81] Niemand Böses mit Bösem, noch Scheltwort mit Scheltworten zu vergelten, sondern das Schwert in die Scheide zu stecken, oder wie die Propheten geweissagt haben[82] Pflugeisen daraus zu machen.

Woraus wir verstehen, daß wir daher Seinem Exempel, Lehr und Leben zufolge Niemand beleidigen, einigen Verdruß oder Uebel mögen antun, sondern vielmehr aller Menschen höchste Wohlfahrt und Seligkeit uns gebühre zu suchen, und wenn es die Not erfordert, um des Herrn willen zu fliehen von der einen Stadt oder Land ins andre, ja auch Beraubung der Güter zu leiden,[83] aber Niemand zu beleidigen, und da man geschlagen wird,

---

[81] Matthäus 5:39, 44; Römer 12:14; 1 Petrus 3:9
[82] Jesaias 2:4; Micha 4:3; Sacharja 9:8, 9
[83] Matthäus 5:39

them here and afterwards in eternity for all the
privileges, liberties, and favors which we enjoy
under their praiseworthy rule.

Article 14

Of revenge and defense by force

Concerning revenge and resisting the enemy
with the sword, we believe and confess that the
Lord Christ forbade and ruled out all revenge and
retaliation to His disciples and followers. Instead,
He commanded and directed them to recompense
no one evil for evil or curse for curse,[81] but to put
the sword into its sheath or as the prophet foretold,
beat them into plowshares.[82]

From this we understand that to follow His
example, life, and teaching, we may not cause
offense to anyone nor provoke or harm them in
any way—but much rather seek the highest
welfare and salvation of all men. And when it is
necessary, to flee from one city or country into
another for the Lord's sake, yes, even suffering the
spoiling of our goods,[83] yet harming no one. And if

---

[81] Matthew 5:39, 44; Romans 12:14; 1 Peter 3:9
[82] Isaiah 2:4; Micah 4:3; Zechariah 9:8, 9
[83] Matthew 5:39

lieber den andern Backen darzuhalten als sich selber zu rächen oder wieder zu schlagen.

Und daß wir über das auch für unsere Feinde müßten bitten, auch wenn sie hungrig oder durstig sind, sie laben und speisen, und sie also mit Wohltun zu überzeugen und alle Unwissenheit[84] zu überwinden.

Endlich, daß wir müssen Gutes tun, und uns gegen alle Gewissen der Menschen wohl und gütiglich überzeugen,[85] und nach Christi Gesetz Niemand was anders mögen tun, als was wir wollen, daß uns geschehe.[86]

15. Artikel.

Vom Eide oder Eidschwören.

Was das Eidschwören betrifft, davon glauben und bekennen wir, daß der Herr Christus auch den Seinen dasselbe untersagt und verboten hat,[87] daß man auf keinerlei Weise möge schwören, sondern daß Ja Ja, und Nein Nein sein müsse,[88] woraus wir verstehen, daß uns alle hohen und geringen Eide verboten sind, sondern, daß wir anstatt derselben alle unsere Verheißungen, Zusagen und Verbindnisse, ja auch alle unsere Erklärungen oder

---

[84] Römer 12:19-21
[85] 2 Korinther 4:2
[86] Matthäus 7:12
[87] Matthäus 5:34, 35
[88] Jakobus 5:12

someone strikes us, to turn the other cheek as well rather than to avenge ourselves or strike back.

And besides this we are to pray for our enemies, feed and refresh them if they are hungry or thirsty, and thus convince them by our good deeds, overcoming their ignorance.[84]

Finally, we are to do good and properly commend ourselves to every man's conscience,[85] and according to the law of Christ, never doing anything to anyone that we would not want to have done to us.[86]

Article 15

Of the swearing of oaths

Concerning the swearing of oaths, we believe and confess that the Lord Christ also prohibited and forbade the same to His followers[87] to the effect that they should not swear in any manner, but that their yes should be yes and their nay be nay.[88] From this we understand that all oaths, great and small, are forbidden us, and that we must instead confirm all our promises, pledges, and commitments—

---

[84] Romans 12:19-21
[85] 2 Corinthians 4:2
[86] Matthew 7:12
[87] Matthew 5:34, 35
[88] James 5:12

Zeugnisse von einigen Sachen, allein mit unserem Wort
Ja, in demjenigen das Ja ist, und Nein, in allem was
Nein ist, bekräftigen müssen,[89] sintemal wir dasselbe allezeit
und in allerlei Sachen gegen Jederman so getreulich
halten, tun und nachkommen müssen, als ob wir solches
mit einem hohen Eide befestiget und beschworen hätten
und wenn wir dasselbe also tun, so getrauen[a] wir nicht,
daß Jemand, ja die Obrigkeit selbst, Ursache haben sollen,
daß sie uns in Gemüt und Gewissen werde höher
beschweren.

16. Artikel.

Vom Bann oder Absonderung von der Gemeine.

Wir bekennen und glauben auch einen Bann und
christliche Absonderung, nicht zur Verderbung, daß dadurch
also das Reine von dem Unreinen werde unterschieden,
wenn nämlich Jemand, nachdem er erleuchtet, die
Erkenntniß der Wahrheit hat angenommen und in die
Gemeinschaft der Heiligen einverleibt ist, und darnach
wiederum, es sei mutwillig oder aus Vermessenheit wider
Gott, oder sonsten Todsünde begehet[90] und in solche
unfruchtbare Werke der Finsterniß verfällt, dadurch er
von Gott geschieden, und ihm das Reich Gottes abgesagt
wird, daß derselbige dann, nachdem das Werk offenbart

---

[89] 2 Korinther 1:17, 18
[a] Some later editions have geraten.
[90] Jesais 59:2; 1 Korinther 5:5, 12; 1 Timotheus 5:20

indeed, all our statements and testimony in any matter—solely with our word yes in that which is yes and no in everything that is no.[89] Hence we must at all times and in all instances toward everyone adhere to, keep, and follow the same as faithfully as if we had sworn to it and confirmed it with a solemn oath. If we do this, then we have the confidence that no one, not even the government itself, should have any cause to lay a heavier burden upon our mind and conscience.

Article 16

Of excommunication or separation from the church

We also confess and believe in a ban, separation, and Christian discipline within the church—for amendment and not for destruction— so that the pure may be distinguished from the impure. Namely, if someone has been enlightened, has attained the knowledge of the truth and been incorporated into the fellowship of the saints, yet afterwards willfully or presumptuously or in some manner again sins unto death[90] and falls back into such unfruitful works of darkness so that he is separated from God and barred from His kingdom—such a person, once the matter is made

---

[89] 2 Corinthians 1:17, 18
[90] Isaiah 59:2; 1 Corinthians 5:5, 12; 1 Timothy 5:20

und der Gemeinde genugsam bekannt ist, nicht mag
bleiben in der Versammlung der Gerechten,

Sondern daß er als ein ärgerlich Glied und offenbarer
Sünder soll und muß abgesondert, weggetan, vor Allen
gestraft und als ein Sauerteig ausgefegt werden, und
das zu seiner Besserung, Andern zu einem Exempel,
Furcht und Schrecken und zur Reinbehaltung der
Gemeine.[91] Daß derselbe von solchen Schandflecken
gesäubert und durch Gebrechen desselben der Name des
Herrn nicht gelästert, die Gemeine verunehret, noch denen,
so draußen sind, ein Anstoß noch Aergerniß möge gegeben
werden. Endlich, daß der Sünder nicht mit der Welt
verdammt, sondern in seinem Gemüt überzeuget und
wiederum zur Reue, Buße und Besserung möge beweget
werden.

Was weiter angehet die brüderliche Strafe oder
Ansprache,[92] als auch den Irrenden zu unterweisen, darin
gebührt auch möglicher Fleiß angewandt, getan und Sorge
getragen zu werden, daß man dieselbe wahrnehme und
mit aller Sanftmut zum Besten vermahne zu ihrer
Besserung,[93] und die halsstarrig und unbekehrt bleiben,
zu strafen als sich gebührt, Summa, daß die Gemeine
müsse von ihr wegtun, der da böse ist[94] (es sei in Lehr
oder Leben) und niemand anders.

---

[91] 2 Korinther 10:8; 13:10
[92] Jakobus 5:19, 20
[93] Titus 3:10
[94] 1 Korinther 5:12

public and is sufficiently known to the church, cannot remain in the congregation of the righteous.

But he shall and must be separated as an offensive member and open sinner, excommunicated, rebuked in the presence of all, and purged out as a leaven. This is for his own amendment, and as example and terror to others so that the church may be kept pure[91]—that it might be cleansed from such foul spots lest the name of the Lord be blasphemed thereby, the church dishonored, and a stumbling block or offense be given to those outside the church. Finally, that the sinner may not be condemned with the world, but become convinced in his mind and moved to sorrow, repentance, and amendment of life.

Further, concerning brotherly reproof and admonition[92] as well as the instruction of the erring, it is needful to do this with all possible diligence and care, watching over them and admonishing them to their amendment with all meekness.[93] Those who remain obstinate and unrepentant should be punished as is fitting. In summary, the church must put away from her midst those who are evil[94] (whether it be in doctrine or in life), and no one else.

---

[91] 2 Corinthians 10:8; 13:10
[92] James 5:19, 20
[93] Titus 3:10
[94] 1 Corinthians 5:12

17. Artikel.

Wie die Gebannten und Abgesonderten von der Gemeine zu meiden.

Anlangend die Enthaltung oder Meidung der Abgesonderten, davon glauben und bekennen wir, daß, wenn Jemand, es sei wegen seines bösen Lebens oder verkehrten Lehre, so weit verfallen ist, daß er von Gott abgeschieden, und folgends auch von der Gemeine recht abgesondert und gestraft ist, daß derselbe dann auch müsse, vermöge der Lehre Christi und Seiner Apostel, ohne Unterschied von allen Mitgenossen und Gliedern der Gemeine (insonderheit von denjenigen, denen es bekannt ist), es sei im Essen oder Trinken und in anderer dergleichen Gemeinschaft, gescheuet und gemieden werden,[96] und daß man mit ihnen nichts zu tun habe, auf daß man durch ihre Conversation nicht befleckt noch ihrer Sünden teilhaftig werde, sondern daß der Sünder beschämet in sich schlage, und in seinem Gewissen zu seiner Besserung möge überzeugt werden.

Daß dennoch gleichwohl, sowohl in der Meidung als in der Strafe, solche Maße und christliche Bescheidenheit gebraucht werden müsse, daß dieselbe nicht zur Verderbung, sondern dem Sünder zur Besserung gereichen und dienen möge. Denn wenn dieselben notdürftig, hungrig, durstig, nackend, krank oder in anderer Widerwärtigkeit stecken und leben, so sind wir schuldig (auf Erforderung der

---

[96] 1 Korinther 5:9-11; 2 Thessalonicher 3:14; Titus 3:10

Article 17

How to shun those who are banned and separated from the church

Concerning the withdrawing from or shunning of the separated, we believe and confess that when someone has fallen so far, either by his evil life or perverted doctrine, that he is severed from God and as a consequence justly separated from and punished by the church, such a person must according to the teaching of Christ and His apostles also be shunned and avoided without partiality by all the fellow members of the church (especially by those to whom it is known)—in eating and drinking and other similar association,[96] thus having no dealings with him, lest by such contact one become defiled or a partaker in his sins. Rather, that the sinner might be made ashamed, be stirred in his mind, and convicted in his conscience to repentance.

Nevertheless, in the shunning as well as in the punishment, such moderation and Christian discretion should be used as to serve not to the sinner's destruction but to his amendment. For if he is in need, hungry, thirsty, naked, sick, or in any other form of distress, then we are obligated (because of

---

[96] 1 Corinthians 5:9-11; 2 Thessalonians 3:14; Titus 3:10

Not, und folgends der Liebe und auch nach der Lehre Christi und Seiner Apostel) ihnen noch gleichwohl Hilfe und Beistand zu beweisen, sonstens sollte die Meidung in solchem Fall mehr zur Verderbung als zur Besserung dienen.

Zudem soll man sie nicht halten als Feinde, sondern sie vermahnen als Brüder, auf daß man sie zur Erkenntniß, Reue und Leid über ihre Sünden bringen möge,[96] daß sie sich mit Gott und Seiner Gemeine wiederum versöhnen, und folgends von der Gemeine wieder empfangen und angenommen werden mögen, und daß die Liebe gegen sie möge den Vorgang haben, wie sich's gebühret.

18. Artikel.

Von der Auferstehung der Todten.

Betreffend die Auferstehung der Todten, davon bekennen wir mit dem Munde und glauben solches auch mit dem Herzen nach der Schrift,[97] daß durch die unbegreifliche Kraft Gottes am jüngsten Tage alle Menschen, so gestorben und entschlafen sind, alsdann wiederum auferwecket, lebendig gemacht werden und auferstehen sollen, und daß dieselben mit denjenigen, die dann im Leben übergeblieben sind, in einem Augenblick

---

[96] 2 Thessalonicher 3:14
[97] Matthäus 22:30, 31; 25:31; Daniel 12:12; Hiob 19:26, 27; Johannes 5:28; 2 Korinther 5:10; 1 Korinther 15; Offenbarung 20:12; 1 Thessalonicher 4:18

the necessity, and from love, and also according to the teaching of Christ and His apostles) to render him aid and support—otherwise, the shunning in such a case may serve more to destroy than to heal.

Accordingly, one should not consider them as enemies but admonish them as brethren in order to bring them to knowledge, repentance, and sorrow for their sins[96] so that they may be reconciled to God and His church, and consequently be received and taken in again. And that love toward them may continue as is fitting.

Article 18

Of the resurrection of the dead

Concerning the resurrection of the dead, we confess with the mouth and believe the same with the heart that according to Scripture[97] all men who have died and fallen asleep shall again be awakened, made alive, and raised up at the last day by the incomprehensible power of God. These together with those who will then remain alive shall be changed in the twinkling of an eye at the sound of

---

[96] 2 Thessalonians 3:14

[97] Matthew 22:30, 31; Daniel 12:12; Job 19:26, 27; John 5:28; 2 Corinthians 5:10; 1 Corinthians 15; Matthew 25:31; Revelation 20:12; 1 Thessalonians 4:18

zur Zeit der letzten Posaunen sollen verwandelt, zusammen vor den Richterstuhl Christi gestellt, die Guten und Bösen von einander geschieden werden, und daß ein jeglicher dann an seinem eigenen Leib empfangen soll nach dem er getan hat, es sei gut oder böse;

Und daß die Guten oder Frommen, als die Gebenedeiten, alsdann mit Christo sollen aufgenommen werden und in's ewige Leben gehen[98] und empfangen die Freude, welche nie kein Auge gesehen noch Ohr gehört hat, noch in keines Menschen Herz gekommen ist, daß sie mit Christo regieren und von Ewigkeit zu Ewigkeit triumphieren sollen.

Und daß hingegen die Bösen, als Vermaledeite, sollen verwiesen und verstoßen werden in die Finsterniß, ja in die ewige höllische Pein, da ihr Wurm nicht sterben, noch ihr Feuer verlöschen wird, und da sie, laut der heiligen Schrift, keine Hoffnung, Trost und Erlösung in Ewigkeit mehr werden zu erwarten haben.[99] Der Herr wolle uns durch Seine Gnade allzusammen würdig und tüchtig machen, daß solches unser Keinem widerfahre, sondern daß wir uns selber also mögen in Acht nehmen und befleißigen, damit wir in der Zeit vor Ihm unbefleckt und unsträflich in Frieden erfunden werden mögen. Amen.

So sind nun diese, als in der Kürze obgemeldet ist, die hauptsächlichsten Artikel unseres allgemeinen christlichen Glaubens, gleichwie wir dieselben also in unserer Gemein, und unter den Unsrigen stets lehren

---

[98] 1 Korinther 2:9
[99] Markus 9:44; Offenbarung 14:11

the last trumpet and be placed before the judgment seat of Christ, where the good shall be separated from the wicked, and then each one shall
receive in his own body according to what he has
done, whether it be good or evil.

And that the good or pious, as the blessed, shall
then be taken up to be with Christ to enter into
eternal life[98] and obtain that joy which no eye has
seen nor ear has heard nor has entered into any
man's heart. And that they shall reign and triumph
with Christ from everlasting to everlasting.

And that contrariwise the wicked or ungodly,
as the accursed, shall be sent away and cast out
into great darkness, yes, into eternal hellish torment where the worm does not die and the fire is
not quenched, and where, according to the Holy
Scripture, they will have no hope, comfort, or de-
liverance to look forward to in all eternity.[99] May
the Lord by His grace make us all fit and worthy
that no such thing befall any of us, but that we
may take heed to ourselves and be diligent to be
found before Him unspotted and blameless, in
peace. Amen.

These then, as briefly stated above, are the prin-
cipal articles of our general Christian faith as we
teach and practice them in our churches and among

---

[98] 1 Corinthians 2:9
[99] Mark 9:44; Revelation 14:11

und beleben. Welches unseres Erachtens der einzige wahre christliche Glaube ist, welchen die Apostel in ihrer Zeit geglaubet und gelehret, ja denselben mit ihrem Leben bezeuget, mit ihrem Tod bekräftiget, und Einige mit ihrem Blut versiegelt haben. Dabei mir auch nebst ihnen und allen Frommen nach unserer Schwachheit gern wollten bleiben, leben und sterben, damit wir mit denselben durch des Herrn Gnade nachmals die Seligkeit erwerben mögen.

Also verfertiget und vollendet in unserer vereinigten Gemeine allhier in der Stadt Dortrecht in Holland, den 21. April, Styli novi, anno 1632.

our people. They are, in our opinion, the only true Christian faith, that which the apostles in their time believed and taught, yes, testified to with their lives, confirmed with their deaths, and some also sealed with their blood. We also in our weakness, along with them and all the pious, would gladly desire to abide, live, and die therein, in order to likewise attain to salvation by the grace of the Lord.

Thus done and concluded in our united church here in the city of Dordrecht in Holland, April 21, 1632, new style.

Das apostolische Glaubensbekenntnis

Ich glaube an Gott, den Vater, allmächtigen Schöpfer Himmels und der Erde.

Und an Jesum Christum, seinen eingebornen Sohn, unsern Herrn; der empfangen ist von dem Heiligen Geist, geboren aus der Jungfrau Maria,

Gelitten unter Pontio Pilato, gekreuzigt, gestorben und begraben,

Am dritten Tage auferstanden von den Toten,

Aufgefahren gen Himmel, sitzet zur rechten Hand Gottes, des allmächtigen Vaters,

Von dannen er kommen wird, zu richten die Lebendigen und die Toten.

Ich glaube an den Heiligen Geist.

Ich glaube an eine allgemeine christliche Kirche, die Gemeinschaft der Heiligen,

Vergebung der Sünden,

Auferstehung des Fleisches, und ein ewiges Leben.

Amen.

Apostolic Confession Of Faith

(The Apostles' Creed)

I believe in God the Father, almighty Creator of the heavens and the earth,

And in Jesus Christ, His only begotten Son, our Lord, who was conceived by the Holy Spirit, born of the virgin Mary,

Suffered under Pontius Pilate, crucified, died, and buried;

On the third day rose from the dead,

Ascended to heaven, sitting at the right hand of God, the Almighty Father,

From whence He will come to judge the living and the dead.

I believe in the Holy Spirit.

I believe in a general Christian church, the communion of saints,

Forgiveness of sins,

The resurrection of the body, and everlasting life. Amen.

Regeln eines gottseligen Lebens.

Lieber Mensch! Wenn du begehrst ein heiliges und Gott wohlgefälliges Leben zu führen, und nach dieser Zeit die ewige Seligkeit zu erlangen, so mußt du dein ganzes Leben nach dem Wort Gottes richten, als der einzigen Regel unseres Glaubens und Lebens, und alle deine Gedanken, Worte und Werke dahin richten, daß sie demselben gemäß sind, wie es Gott befohlen.

So hat auch der König und Prophet David getan, da er sagt: Ich betrachte meine Wege, und kehre meine Füße zu Deinen Zeugnissen, Psalm 119, 59, als wollte er sagen: "Ich betrachte und erwäge all mein Tun und Lassen, all meine Gedanken, Worte und Werke, nämlich ob dieselben Deinen Geboten gemäß sind, auf daß, wenn ich etwa in einem oder dem andern mißhandelt hätte, ich wieder zu denselben kehrete."

Was erstlich deine Gedanken betrifft: Nimm folgende Regeln fleißig in Obacht:

1. Am Morgen erwache mit Gott, und gedenke, daß dieser dein letzter Tag sein mag; und wenn du zu Bette gehest, daß du nicht wissest, ob du wieder aufstehen werdest, es sei denn zum Gericht. — Deswegen ist es am sichersten, daß du alle Tage das Gebet brauchest, morgens und abends auf deine Kniee niederfallest, und Gott deine Sünden bekennest, um Verzeihung bittest und ihm für die empfangenen Wohltaten dankest.

Rules Of A Godly Life

Beloved friend, if you desire to lead a holy and God-pleasing life and to attain eternal salvation after this time, then you must measure your whole life by the Word of God as the only standard of faith and conduct, and let all your thoughts, words, and deeds be in accord with the same, as commanded by God (Deuteronomy 5:32, 33).

That is what the king and prophet David did when he said, "I thought on my ways, and turned my feet unto thy testimonies" (Psalm 119:59), as if to say, "I examine and ponder on all my doings—all my thoughts, words, and deeds to see if they are according to thy commands—so that if I have done wrong in one or the other, I can return to the right."

First of all, that which concerns your *thoughts:* Take the following rules deeply to heart:

1) In the morning, awake with God and consider that this might be your final day. When you go to bed at night, you do not know if you will ever rise again, except to appear before the Judgment. For this reason, it is all the more expedient for you to pray every day, falling upon your knees both mornings and evenings, confessing your sins to God and asking His forgiveness, and thanking Him for blessings received.

2. Enthalte dich von bösen, eiteln und unreinen Gedanken; behüte dein Herz mit allem Fleiß. Sprüche 4, 23. Denn wie du dasselbe sein lässest, so werden deine Worte, Werke und ganzer Wandel sein.

3. Denke oft an die vier letzten Dinge: An den Tod, da nichts gewisseres; an das jüngste Gericht, da nichts erschrecklicheres; an die Hölle, da nichts unerträglicheres; und an den Himmel, da nichts erfreulicheres. Wer in Betrachtung dieser Dinge sich stets übt, der wird unzählich viele Sünden vermeiden, und sich der wahren Gottseligkeit befleißigen.

4. Am Sabbattage betrachte besonders die herrlichen Werke Gottes; als da ist das Werk der Erschaffung und Regierung der Welt, und das Werk der Erlösung. Zu diesen Betrachtungen aber tue hinzu die heilige Uebung des Gebets, der Anhörung und Wiederholung der Predigten, heiliger Gespräche und dergleichen. Auf diese Weise wirst du den Sabbat recht feiern und heiligen, dessen Heiligung uns so oft in Gottes Wort anbefohlen wird. Wenn du dir aber kein Gewissen machest, diesen Tag zu entheiligen, so wirst du dich auch nicht scheuen, die andern Gebote Gottes alle zu übertreten.

5. In allen Sachen, ehe du was anfangest, da sei vorsichtig und bedenke zuvor das Ende. Alles, was du tust und vornimmst, bedenke allezeit, ob du das tun würdest, wenn du eben zu derselben Stunde sterben, und

2) Refrain from wicked, idle, and unclean thoughts. "Keep your heart with all diligence" (Proverbs 4:23). For whatever you allow your thoughts to be, your speech, your conduct, and your entire way of life will be the same.

3) Think often on the four last things: on death, of which there is nothing more certain; on the Judgment Day, of which there is nothing more terrible; on hell, for there is nothing more unbearable; and on heaven, for there is nothing more joyful. He who often thinks on these things will shun innumerable sins and be diligent in true godliness.

4) On the Sabbath Day take special note of the wonderful works of God—the creation and governing of the earth, and the work of redemption. To these meditations add the sacred practice of prayer, thoughtful attention to sermons, godly conversation, and such like. In this manner you will rightly observe the Sabbath and keep it holy as commanded so often in God's Word. If you however do not have a conscience against profaning the Sabbath, you will hardly hesitate to violate all the other commandments of God as well.

5) In all things, before you begin something, be cautious and ponder what the outcome may be. In all that you do and undertake, think constantly whether you would want to be doing it if that very

vor Gottes Gericht erscheinen müßtest. Lasse dich deswegen
niemals in einem solchen Stande finden, darinnen du
nicht getraust und hoffest selig zu werden. Lebe also, als
wenn du alle Tage sterben, und vor dem Richterstuhl
Jesu Christi erscheinen müßtest.

6. Tut man dir unrecht, so lasse es in Geduld über
dich gehen; denn wenn du dich über die zugefügte
Unbilligkeit bekümmerst oder erzürnest, so wirst du nur
dir selber wehe, deinem Feind aber einen angenehmen
Dienst erweisen, als welcher sich freuen wird, wenn er
gewahr wird, daß es dich so sehr verdrieße. Wenn du aber
geduldig darüber bist, so wird Gott zu seiner Zeit recht
richten, und deine Unschuld an den Tag bringen.

7. Besonders hüte dich vor Unvergnüglichkeit, oder
einem Gemüt, das immer unzufrieden ist. Es ist eine
Gnade Gottes, daß du auch etwas Kreuz und Trübsal
hast. Gott der Herr beschert dir vielfältigen Segen, damit
du nicht aus Mangel verzagest; und verhängt hinwieder
etwas Kreuz und Trübsal über dich, damit du nicht durch
eine allzugroße Glückseligkeit zu stolz und übermütig
werdest. Es stoße dir deswegen zu Handen, was für
Unglück auch immer wolle, so gedenke, daß du noch ein
viel größeres mit deinen Sünden verdient habest.

8. Wenn andere Leute dich loben um etwa deiner
Tugend willen, die an dir ist, so demütige dich; aber
selbst sollst du dich nicht loben; denn solches tun die
Narren, die eitlem Ruhm nachtrachten. Verhalte dich

hour you were to be called by death to appear before God's judgment. For this reason never allow yourself to be found in any situation in which you could not trust or hope for your salvation. Live every day as if you might die and appear before the judgment seat of Christ.

6) If anyone wrongs you, bear it patiently. For if you take the wrong to heart or become angry, you hurt no one but yourself and are only doing what your enemy would like for you to do, giving him the satisfaction of seeing how annoyed you are. But if you can be patient, God will in His good time judge rightly and bring your innocence to light.

7) Especially beware of discontentment or a spirit that is never satisfied. It is the grace of God that allows you to also have some suffering and trouble. God bestows on you various blessings so that you do not despair in want, but then He also metes out a portion of trouble and pain lest you become proud and presumptuous in too great a joy. No matter what misfortune strikes you, remember that because of your sins you deserve far worse.

8) If other people praise you for some virtue, humble yourself. But do not praise yourself, for that is the way of fools who seek vain glory. In all your dealings be honest—that will be reward

nur in allem deinem Tun aufrichtig, so bist du schon genug gelobt und andere werden dich loben.

9. Bekümmere dich nicht viel um das Tun eines andern, und was dich nicht angehet, dem frage nicht nach.

10. Im Kreuz sei geduldig, und stille dein Herz unter der gewaltigen Hand Gottes, mit diesen Betrachtungen: Erstens, daß Gottes Hand dich züchtige; zweitens, zu deinen Besten; drittens, daß er das Kreuz werde mäßigen; viertens, Kraft zu verleihen, dasselbe zu ertragen; und fünftens, dich zu gelegener Zeit daraus erretten.

11. Achte keine Sünde für klein und gering; denn, erstens, eine jede Sünde wie klein und gering sie auch scheinet, wird begangen wider die allerhöchste Majestät Gottes. Zweitens, eine kleine Sünde, die man liebt, kann den Menschen so wohl verdammen, als eine große Sünde. Ein einziger kleiner Spalt in einem Schiff, wenn er nicht vermacht wird, kann das ganze Schiff versenken.

Also kann auch die kleinste Sünde, wenn sie geliebt und nicht bereuet wird, den Menschen in die Hölle bringen. Darum hüte dich nicht nur vor großen, sondern auch vor kleinen Sünden, gewöhne dich selbst auch die geringsten Sünden zu unterdrücken, damit du auch der größeren mögest Meister werden. Besonders aber hüte dich vor mutwilligen Sünden, daß du Gott nicht erzürnest; denn du wirst schwerlich für deine Sünden, die aus Mutwillen begangen sind Vergebung empfangen.

enough and others will praise you.

9) Don't be overly concerned what others do, and if it is none of your business, don't meddle in it.

10) In suffering be patient, and silence your heart under the mighty hand of God with these meditations: first, that it is God's hand that chastens you; second, that it is for your benefit; third, that He will ease the burden; fourth, He will give you strength to endure; and fifth, He will deliver you from affliction in due time.

11) Never consider any sin as unimportant or of no account First of all, every sin however small and insignificant it may appear is nevertheless a transgression against the supreme majesty of God. Secondly, a small sin that is loved can condemn a man just as well as a gross sin. A small leak if not repaired can sink a ship in time.

Likewise, even the smallest sin if it is cherished and not repented of, can bring a man down to hell. Beware then not only of great sins but of small ones as well. Make a habit of overcoming the least of sins so that you can be master of the great ones, too. Especially shun willful sinning lest you provoke God to anger, for it is hard to obtain forgiveness for sins that are willfully committed.

12. Freue dich des Falles deines Feindes nicht, Sprüche 24, 17 denn was einem Andern widerfährt, kann auch dir über Nacht widerfahren, und wer sich über eines andern Unfall freuet, wird nicht ungestraft bleiben. Sprüche 17, 5.

13. Trage keinen Neid und Haß gegen jemand. Der Herr liebte dich als du Sein Feind warest, und darum fordert Er von dir, daß du auch deinen Feind um Seinetwillen lieben sollst. Es ist gar ein geringes, daß wir Menschen unsern Schuldnern nachlassen, gegen dem, was Gott der Allmächtige uns vergibt und nachlasset. Ob du schon meinest, dein Feind sei nicht wert, daß du ihm verzeihest, so ist aber doch der Herr Christus wohl wert, daß du es um Seinetwillen tust.

14. Achte die Gottseligkeit nicht desto geringer, weil sie von den Gottlosen geschmäht und verfolgt wird. Hingegen halte nicht desto mehr auf die Sünde, weil sie gemein ist, und der meiste Teil der Menschen gottlos lebt. Die Menge beweiset nicht die Güte einer Sache. Der Höllenweg ist jederzeit voll Wandersleute. Matth. 7, 13.

Wenn dich Gott am jüngsten Tage fragen wird: Warum hast du den Sabbat entheiligt? Warum hast du dich voll berauschender Getränke gesoffen? Warum hast du gelogen? und mit andern in Haß und Neid gelebet? Und du dann sagen wirst: Herr! weil die meisten Leute also getan; dies würde eine elende Antwort sein; Gott wird dann zu dir sagen. Weil du mit der Menge gesündiget

12) "Rejoice not when your enemy falls" (Proverbs 24:17). What someone else experiences may well happen to you by tomorrow. And anyone who rejoices at the misfortunes of another will not remain unpunished (Proverbs 17:5).

13) Carry no envy or hatred against anyone. The Lord loved you while you were His enemy, and therefore He expects you to also love your enemy for His sake. It is but a small thing for us humans to forgive our debtors compared to what God the Almighty forgives and pardons us. Even though you may think your enemy is not worthy of your forgiveness, the Lord Christ is certainly worthy of your doing it for His sake.

14) Do not esteem godliness any less because it is held in contempt and scorned by the ungodly. On the other hand do not look more favorably upon sin just because it is so common, and the majority of the people live in ungodliness. Numbers are no proof that a matter is right. The way to hell is always full of wandering souls (Matthew 7:13).

If God should ask you on the Last Day, "Why did you profane the Sabbath? Why did you become drunk with intoxicating beverages? Why did you lie? Why did you live with hate and jealousy toward others?"—would you then answer, "Lord, I did so because nearly everyone else did so." That would be a wretched answer! God would then say to you,

haſt, ſo ſollſt du auch mit der Menge zur Hölle fahren.

15. Wenn dir etwas wichtiges vorkomme, worauf du dich nicht gleich weißt zu entſchließen oder zu antworten, ſo nimm zum wenigſten eine Nacht, dich darüber zu bedenken; es wird dich nicht gereuen.

16. Gehe niemals ſchlafen, du habeſt denn zuvor bei dir überlegt, wie du den vergangenen Tag zugebracht, was du an demſelbigen Gutes oder Böſes getan habeſt, ſo wirſt du bald ausfinden, ob du deine Zeit, die unwiderbringlich iſt, wohl anwendeſt oder nicht.

Zum andern, betreffend deine Worte.

1. Gedenke, daß du von einem jeden unnützen Wort, das aus deinem Munde gehet, Rechenſchaft geben mußt. Matth. 12, 36. Wo viele Worte ſind, da gehet es ohne Sünde nicht ab. Sprüche 10, 19. Hüte dich deswegen vor allem unnützen Geſchwätz, und laſſe deine Rede bedächtig, kurz und wahrhaft ſein; betrachte zuvor wohl, ob das, ſo du reden willſt, auch wert ſei, daß es geredet werde. Befleißige dich mit wenig Worten viel zu reden. Sage niemals etwas für wahr und gewiß, was du nicht ganz wohl wiſſeſt, daß es alſo ſei; und ſchweige lieber ſtill, denn daß du etwas redeſt, welches entweder falſch, oder ſonſt eitel iſt.

"Because you have sinned with the majority, you must also be cast into hell with the majority."

15) If you are faced with an important decision in which you do not know just what is best to do or to answer, take at least one night's time to think it over. You will not be sorry.

16) Never go to sleep without first reviewing how you have spent the day just past, what you have accomplished for good or evil, and you will readily perceive whether or not you are making good use of your time, which is irredeemable.

Part Two

Concerning Your Words

1) Think that for every idle word you speak you must give account thereof in the day of judgment (Matthew 12:36). "In the multitude of words, there wanteth not sin" (Proverbs 10:19). So try to avoid idle talk and let your speech be deliberate, of few words, and truthful. Consider beforehand if what you are about to say is worth saying. Practice saying much in few words. Never state anything as true and authentic if you do not know for certain that it is so, and rather remain silent than to say something which may be false or otherwise of no value.

Denn wenn es einmal offenbar wird, daß du dir kein Gewissen machest zu lügen, so wird dir niemand glauben, wenn du schon die Wahrheit redest; wenn du aber die Wahrheit liebest, so wird man mehr deinen Worten glauben, als dem Eid eines Lügners.

2. Wenn du bei ehrlicher Gesellschaft fröhlich sein willst, so siehe zu, daß deine Freude nicht wider die christliche Liebe, noch gegen die Keuschheit und Ehrbarkeit sei. Hüte dich deswegen vor unhöflichen Schimpf= und Spottreden, vor deren sich züchtige Menschen schämen müssen. Denn, erstens, solches unflätige Worte sind ein öffentliches Kennzeichen eines unreinen Herzens, denn weß das Herz voll ist, deß gehet der Mund über, spricht Christus. Luc. 6, 45. Zweitens, unflätige Zoten und schandbare Worte machen Bahn zu unflätigen Werken.

Ja, möchtest du sagen: Man muß bei Gesellschaften etwas erzählen, die Zeit zu vertreiben und einander lustig zu machen. Antwort: Dies ist eine elende Entschuldigung; denn erstens, solche Fröhlichkeit ist ausdrücklich in Gottes Wort verboten: Schandbare Worte und Narrenteidinge, oder Scherz, welche euch nicht ziemen, spricht der heilige Apostel Paulus, meidet. Zweitens, solche unzüchtige Reden verursachen den Zorn Gottes. Ephes. 5, 4; 6. Durch solch faul Geschwätz und lasterhafte Freude wird der heilige Geist betrübet. Ephes. 4, 29. 30.

Die Zunge ist des Menschen Ehre, und eine Krone aller Glieder; soll dann der Mensch dieselbe also zu

For when it once becomes known that you have no conscience against lying, no one will believe you even when you are speaking the truth. If however you love the truth, your words will be believed above the oath of a liar.

2) If you desire to be cheerful among honest friends, take care that your joy be not contrary to Christian love, nor to purity and respectability. Refrain therefore from rude insults and mockery that respectable people would be ashamed to hear. First, because such lewd words are an open testimony of an impure heart. "For out of the abundance of the heart the mouth speaketh" (Matthew 12:34). Secondly, smutty jokes and foul speech smooth the road to shameful conduct.

Indeed, you may say, "One has to have something to relate when in company with his friends to pass the time and to delight each other."

That is a wretched excuse. First of all, such mirth is clearly forbidden in God's Word. "Neither filthiness, nor foolish talking, nor jesting, which are not fitting," says the holy Apostle Paul—we must avoid them. Secondly, such lewd speech provokes the wrath of God (Ephesians 5:4, 6). Through suchlike evil talk and vain mirth the Holy Spirit is grieved (Ephesians 4:29, 30).

The tongue is the glory of man and the crown of all the members of the body. Shall a person then

unflätigen Zoten gebrauchen? Wo die Zunge verdorben
ist, da wird der ganze Leib angesteckt, und mit
Ungerechtigkeit erfüllet. Jac. 3, 6. Habe deswegen einen
Abscheu vor aller Unflätigkeit, und lasse deine Reden
allezeit lieblich und erbaulich sein, damit diejenigen, so
sie hören, dadurch gebessert werden mögen. Gebrauche
deine Zunge, die Trägen damit zu vermahnen, die
Unwissenden zu unterweisen, und die Betrübten zu trösten.
Jemehr wird dir auch Gott seine Gnadengaben vermehren.
Marc. 4, 25.

3. Besonders hüte dich vor den gemeinen, leichtfertigen,
schweren und schändlichen Mißbräuchen des heiligen
Names Gottes. Es ist ein gewisses Kennzeichen eines
leichtfertigen, verruchten und gottlosen Menschen, wenn
er den Namen Gottes stets mit Schwören mißbraucht.
Ja, es ist auch gewiß, daß derjenige, welcher immer schwöret,
selten die Wahrheit redet: denn wer sich kein Gewissen
macht, den Namen Gottes zu mißbrauchen, wie soll man
glauben, daß er sich ein Gewissen mache zu lügen?

Darum laß deine Worte sein: Ja, ja; nein, nein.
Was darüber ist, das ist vom Uebel. Matth. 5, 37. Und
damit du dich vor dem Schwören desto besser hüten
mögest, so geselle dich nicht zu den Fluchern, damit du
dich nicht allgemach auch dazu gewöhnest. Strafe deinen
Freund darum; sofern er es gerne annimmt, wo nicht, so
gewinnet man nichts dabei einen Spötter zu strafen.
Sprüche 9, 8.

4. Glaube nicht sobald alles was man dir sagt, und

use it for obscenity? When the tongue is corrupt it defileth the whole body, filling it with unrighteousness (James 3:6). For this reason, loathe every kind of filthiness and let your speech be always pleasant and upbuilding, so that those who hear it may be bettered thereby. Use your tongue to admonish the sluggard, to instruct the ignorant, and to comfort the sorrowing. God will increase His gracious gifts to you accordingly (Mark 4:25).

3) Take special care to refrain from the vulgar, lightminded, grievous and shameful misuse of the holy name of God. It is certain proof of a frivolous, impious, and ungodly character to habitually profane the name of God with swearing. Yes, it is also evident that he who constantly swears seldom speaks the truth. For if he has no scruples against the misuse of God's name, why should one suppose that he has a conscience against lying?

"But let your communication be, Yea, yea; Nay, nay; for whatsoever is more than these cometh of evil" (Matthew 5:37). In order to better avoid profanity, avoid the companionship of those who curse, lest you also fall into the habit. Rebuke your friend therefore, if he willingly accepts it. If not, there is no gain in rebuking a scorner (Proverbs 9:8).

4) Be not too ready to believe everything you

rede nicht alles nach, was du hörest; denn sonst wirst du
deine Freunde bald verlieren und Feindschaft bekommen.
So du deswegen einen oder den andern hörest verklagen,
so erkundige dich zuvor des Grundes, und erst dann gib
deine Bestrafung und Urteile.

5. Vertraue Keinem deine Heimlichkeiten, du habest
ihn denn zuvor wohl probiert. Also aber sollst du ihn
probieren und erkennen lernen: offenbare ihm etwas
heimliches, daran nicht viel gelegen ist, dadurch wirst du
ihn ohne deinen Schaden kennen lernen; denn wenn er
die Heimlichkeit verschweigen kann, so ist es eine Anzeigung,
daß ihm wohl etwas heimliches zu vertrauen ist. Doch
aber offenbare deinem Freund nicht alle Dinge; denn
wenn du mit ihm uneins wirst (welches leicht geschehen
kann), wird er es dir übel ausdeuten.

6. Schmähe deine Freunde nicht, sondern rede überall
löblich, darin sie zu loben sind; was zu tadeln ist,
verschweige' den andern, denn die Schmähworte und
Verachtungen sind aller Freundschaft, Gift und Verderben.

Wenn du deines Nächsten Fehler hörst tadeln, so
gehe in dein Herz und erforsche es fleißig, ehe du ihn
tadelst; du wirst ohne Zweifel finden, daß du eben dieselben
(wo nicht größere) Mängel hast, hierdurch wirst du beweget
werden, entweder dich zu bessern, oder doch deinen Nächsten
nicht zu schmähen, noch tadeln.

are told, and do not repeat everything you hear. Otherwise, you will quickly lose your friend and gain an enemy. If you thus hear a complaint against someone or other, be sure to investigate the circumstances and only then give your criticism or opinion.

5) Confide to no one your personal secrets unless you have beforehand thoroughly proved him. Here is a way to test him and learn to know him: confide to him some matter of small importance, and thus learn to know him without risking harm to yourself. For if he keeps the secret to himself, it is an indication that he is to be trusted with confidences. Nevertheless, don't tell your friend everything, for if you should chance to fall out with him (which can easily happen), he will use his knowledge to your harm.

6) Do not speak evil of your friends. Rather, speak well of them in all that is praiseworthy. If they are at fault, keep it to yourself, for slander and scornful gossip are poison and a ruination to any friendship.

If you hear your neighbor's faults being criticized, search first your own heart before you join in. Without doubt you will find that you have the same, if not greater, shortcomings. Thus you will be moved to either better yourself or not speak evil of your neighbor, or belittle him.

7. Wenn dir ein guter Rat mangelt, so gehe nicht zuerst zu vornehmen Leuten, die in großem Ansehen sind, sondern zu denen, die in demjenigen, wo du Rat bedarfst, erfahren sind. Denn sonst, wo dir ein vornehmer Herr einen Rat gibt, und du demselben nicht folgest, weil du ihn nicht für gut erkennst, wirst du ihn vielleicht erzürnen, und dir dadurch zum Feinde machen.

8. Wenn dir jemand aus guter Meinung einen Rat gegeben und derselbe fehlen sollte, sollst du dem, der dir geraten hatte, die Schuld nicht geben. Denn auch ein guter Rat schlägt oft fehl, und ist niemand auf Erden, der zukünftige Zufälle ersehen kann. Keiner ist in allen Dingen weise und vorsichtig genug. Verachte auch geringer Leute Rat nicht, wenn sie deinen Nutzen betrachten.

9. Spotte nicht eines andern Schwachheit, sondern denke an deine eigene Gebrechlichkeit. Gal. 6. Wir haben alle unsere Mängel, und ist keiner von dem man nicht sagt: Wäre das nicht. Entweder sind wir, oder sind gewesen, oder können sein, was ein anderer ist. Habe deswegen Geduld und Mitleiden mit des Nächsten Schwachheit und Gebrechen; doch also, daß du ihm in seinen Sünden nicht heuchelst, noch die brüderliche Strafe und Vermahnung unterlassest.

Willst du ihn aber bestrafen, so siehe zu, daß du die Bestrafung zu rechter Zeit vornehmest; denn wer andere zur Unzeit strafet, der schadet mehr als er nützet, besonders wenn die Bestrafung zu scharf und nicht mit Sanftmut

7) When you are in need of good advice, do not seek first someone prominent who is highly esteemed, but go instead to someone who has had experience in the matter in which you seek advice. Otherwise if some esteemed person in authority gives you advice and you do not follow it because you do not think it is good advice, you may anger him and thereby make him your enemy.

8) If someone with good intentions has given you advice which failed, do not blame him. For even good advice often fails, and there is no one on earth who can tell what the future holds. No person is wise in everything, or has enough foresight. Nor should you scoff at the advice of lesser men if they have your welfare at heart.

9) Do not make fun of another's weaknesses, but think of your own shortcomings. (Galatians 6). We all have our faults and there is no one of whom it is not said, "Oh, if only this were not!" Either we are, or have been, or can become what another is. For this reason, have patience and sympathy with your neighbor's weakness and frailty. And yet, do not be a hypocrite by condoning him in his sin, or neglecting brotherly reproof and admonition.

But if you do wish to rebuke him, be careful to bring your reproof at a suitable time. For to rebuke others at the wrong time will do more harm than good, especially if the rebuke is too sharp and not

vermischet ist. Die Bestrafung ist ein Salat, dazu man mehr Oel als Essig gebrauchen soll.

10. Gewöhne dich nicht auf anderer Leute Reden zu antworten, oder auch davon zu urteilen, du habst denn zuvor gehöret und wohl verstanden, was sie dir sagen wollen.

11. Zank und Zwietracht mit den Menschen mag mit deinem Frieden nicht vor Gott bestehen. Wenn du Gott liebst, so wirst du auch deinen Nächsten lieben, um Gottes willen, der es befohlen hat.

12. Dein Kreuz trage mit Geduld und klags nicht jedermann; denn deine Feinde möchten sich darüber freuen, und andere Leute würden dich desto weniger achten.

13. Halte den für deinen Freund, der dich insgeheim erinnert, was dir nicht wohl ansteht. Es ist ein rechtes Elend, wenn ein Mensch niemand hat, der ihm so er dessen nötig hat, etwas sagen darf. Denn wenn er nicht bestraft wird, so bildet er sich ein, er tue nichts Böses, und fahret also in seinen Sünden fort zu seinem eigenen Verderben; da er hingegen durch eine freundliche Bestrafung von Sünden könnte abgehalten werden.

Die Bestrafung ist allen Menschen höchst notwendig; denn gleich wie das Auge zwar alles siehet und verbessern will, aber sich selbst nicht siehet und bessert, also sind wir von Natur gegen uns selbst so partheiisch, daß wir unsere

tempered with meekness. A reproof is like a salad, in which one should use more oil than vinegar.

10) Make a habit of not replying to the words of others or to pass judgment unless you have first listened and understood well what they are saying to you.

11) You cannot have disputes and strife with your fellow humans and still stand in peace with God. If you love God, you will also love your neighbor according to God's will, who has commanded it.

12) Patiently bear your cross and do not complain to anyone. For your enemies may rejoice and other people will only think less of you if you complain.

13) Consider him a friend who privately rebukes you of your faults. It is a pitiful situation indeed if a man has no one who dares correct him when he has need of it. For if he is not rebuked, he may conclude in his own mind that he has no faults and thus continue in his sins to his own destruction, whereas by a friendly reproof he might be turned away from sin.

Everyone most certainly needs correction at times. For as the eye sees all and seeks the improvement of all yet cannot see itself or better itself, so by our very natures we are partial to

eigene Fehler und Gebrechen nicht so leicht sehen als anderen Leuten ihre; und deswegen ist es sehr nötig, daß sie uns bisweilen von denen gezeigt werden, welche sie viel deutlicher sehen als wir selbst.

Die Bestrafung geschehe gleich mit Fug und Unfug; von einem Freund oder Feind, so wird sie doch einem weisen, verständigen Menschen nichts schaden; denn ist sie wahrhaft, so dienet sie dir zur Erinnerung, um dich zu bessern; ist sie aber falsch, so dienet sie dir zur Warnung, damit du wissest, wovor du dich künftig hüten sollst.

Kannst du aber gar nicht leiden, daß man dich strafe, so tue auch nichts das unrecht ist.

Zum dritten, deine Werke anbelangend.

1. Tue nichts Böses, ob es schon in deinen Kräften stünde. Hüte dich, wenn du allein bist, solche Dinge zu tun, deren du dich vor den Menschen schämen müßtest. Gedenke mit Joseph, daß ob es schon kein Mensch siehet, doch Gott alles siehet, und daß dein eigenes Gewissen wider dich zeugen werde. Meide deswegen alle Sünde, nicht nur die öffentlichen, sondern auch die heimlichen. Denn gleich wie Gott gerecht ist, also wird Er, wo du nicht alsobald Buße tust, alle deine verborgenen Sünden

ourselves and cannot see our own shortcomings and defects as easily as we can see those of other people. For this reason it is very needful that our faults be pointed out to us—which others can see so much more clearly than we ourselves can see them.

Regardless whether reproof is given justly or unjustly, by a friend or by an enemy, it can do a wise and understanding person no harm. For if it is the truth, it will remind you to better yourself. If it is false, it will serve as a warning what you should heed in the future.

But if you cannot bear to be corrected, then never do anything wrong!

Part Three

Concerning Your Works

1) Do no evil, even if it is in your power to do so. Take heed not to do anything when you are alone that you would be ashamed of before men. Remember with Joseph that even if no man sees, God sees all, and that your own conscience will testify against you. Therefore avoid all sins, not just those which are public, but secret ones as well. For even as God is righteous, so will He, unless you forthwith repent, bring all your hidden sins to

an das Licht bringen und dir unter Augen stellen. 1 Cor. 4, 5; Psalm 50, 21.

2. Besonders aber widerstehe mit allen Kräften der Seelen deiner Busensünde, oder derjenigen Sünde dazu deine Natur mehr als zu allen andern Sünden geneigt ist; als da ist bei dem einen der Ehrgeiz, bei dem andern der Geldgeiz, bei dem dritten die Trunkenheit, bei dem vierten die Unkeuschheit, bei dem fünften der Hochmut. Wider diese bösen Sünden mußt du dich am allermeisten bewaffnen und dagegen kämpfen; denn wenn dieselben überwunden sind so wirst du auch bald der andern Meister. Wie der Vogler den Vogel bei einem Bein halten kann, also kann der listige Satan deine Seele ebensowohl vermittelst einer einzigen Sünde als vieler, fest und in seiner Gewalt behalten.

3. Wenn du aber begehrest die Sünde zu meiden, so mußt du auch alle Ursache und Gelegenheit dazu meiden; wer den Anlaß zur Sünde nicht meidet, der kann auch die Sünd nicht überwinden. Böse Gesellschaft ist ein Anlaß der Sünde, als bei welcher man oft ärgerliche Reden hört, die einen leicht verführen und verderben können; denn böse Geschwätze verderben gute Sitten. 1. Cor. 15, 33.

Böse Gesellschaft ist des Teufels Zuggarn, damit er viele in die Hölle zieht. Meide deswegen dieselbige und habe keinen Umgang mit gottlosen, liederlichen Leuten. Wenn dich die bösen Buben locken, so folge ihnen nicht. Sprüche 1, 10. Denn wer mit bösen Leuten umgehet, der

light and set them before your eyes (1 Corinthians 4:5; Psalms 50:21).

2) Especially, though, resist with all strength of soul your bosom sin, or that sin to which your nature is inclined more than to all other sins. For one person this may be to seek the honor of men, for another a greed for money, a third may tend to drunkenness, a fourth to impurity, a fifth to pride. Against these evil sins you must above all arm yourself and resist them, for once these are overcome you can also easily master others. As a fowler can hold a bird by one leg, in the same way wily Satan can possess your soul and keep it in his control by means of a single sin just as well as by many.

3) If you desire to avoid sin you will need to also shun every occasion and opportunity of sinning. Whoever does not avoid every incentive to sin cannot expect to overcome sin. Evil companions are an incentive to sin, for it is from them that one often hears offensive talk that can easily mislead and corrupt a person. Evil company corrupts good habits (1 Corinthians 15:33).

Evil companions are the devil's dragnet by which he draws many into hell. For this reason shun such companions and have nothing to do with ungodly, lewd persons. If evil rogues entice you, don't follow after them (Proverbs 1:10). Whoever

wird leicht durch sie verderbet; er lernt ihre Sprache und wird denselben allgemach, ehe er es weiß, gleichförmig. Bei Bösen wird man bös: Muß sündigen oder leiden; darum wird ein frommer Mensch die böse Gesellschaft meiden.

Willst du nicht verlockt werden zur Hurerei und Unkeuschheit, so fliehe sorgfältig den Ort und die Personen, durch welche dir Anlaß gegeben wird, in diese Sünde zu fallen. Willst du die Sünde der Trunkenheit meiden (welche der breite Weg zur Hölle ist), so geselle dich nicht zu einem Trunkenbold, und nimm ihn nimmer unter die Zahl deiner Freunde; denn was nutzet dir ein solcher Mensch zum Freund, welcher dich um dein Leben, ja um deine Seligkeit bringt? Denn die Erfahrung bezeuget, daß mehr Menschen von ihren eigenen Freunden durch Säuferei sind um das Leben gebracht worden, als die von ihren Feinden sind erschlagen worden. Daher hüte dich vor allen Anlässen zur Sünde; du weißt nicht wie leicht du vom Teufel und der Sünde kannst überlistet werden.

4. Wenn du etwa von bösen Buben, oder deinem eigenen Fleisch gereizt wirst, deinem Nächsten etwas zu leide zu tun, so gedenke sogleich: ob du auch wohl leiden möchtest, daß dir ein anderer also täte? Was du nicht willst, daß man dir tue, das tue auch keinem andern nicht. Alles, was du willst, das dir die Leute tun sollen, das tu ihnen auch. Matth. 7, 12. Niemand will, daß ihm

spends much time with evil companions is easily corrupted by them—he learns their speech and before he realizes it he gradually becomes like them. Among the evil, one becomes evil—he must either sin, or suffer. For this reason a devout man avoids the companionship of the wicked.

If you do not wish to be enticed to fornication and immorality, you must diligently flee from the place and the companions by which opportunity would be given to you to fall into these sins. If you would escape the sin of drunkenness (which is the broad way to hell), then don't become familiar with a drunkard or count him among your circle of friends. For of what benefit to you is such a person as a friend who would ruin your life, yea, your salvation? For experience teaches that more people have lost their lives through their own friends by way of drunkenness than have been killed by their enemies. So beware of all allurement to sin—you do not know how easily you could be deceived by the devil and by sin.

4) If you are tempted by evil companions or prompted by your own flesh to do any kind of harm to a fellowman, just stop to think how you would feel if someone did the same to you. What you would not want another to do to you, then likewise don't do it to someone else. "All things whatsoever ye would that men should do to you, do ye even so to them" (Matthew 7:12). No one likes to have

von andern Schaden geschehe, darum soll er andern solchen auch nicht zufügen.

Was du hassest, das tue andern nicht; willst du nicht gelästert sein, lästere andere auch nicht. Hingegen, willst du Wohltaten empfangen, so beweise dieselben einem andern auch. Willst du Barmherzigkeit erlangen? erbarme dich deines Nächsten. Willst du gerühmet sein? rühme andere. Wenn diese Regel wohl in acht genommen würde, so würden alle Verbrechen aufhören wider die erste und andere Tafel des Gesetzes.

5. Wenn du dir in deinem Beruf etwas vornimmst, so setze kein Mißtrauen in die Vorsehung Gottes, obschon du etwas Mangel an Mitteln siehest. Tu aber nichts in deinem Beruf, du habest denn zuvor Gott den Herrn um Segen zu deiner Arbeit angerufen, denn ohne den Segen Gottes ist aller Fleiß, Mühe, Arbeit und Sorge, so wir Menschen in der Haushaltung anwenden, umsonst und vergebens. Pf. 127, 1. 2. An Gottes Segen ist alles gelegen.

Bitte deswegen den Herrn, daß Er deine Arbeit segnen wolle. Alsdann erst greife das Werk an mit freudigem Mut, und befehle den Ausgang der weisen Vorsehung Gottes des Allmächtigen, welcher für uns sorget, und keinen Mangel lässet denen, die ihn fürchten. Psalm 34, 10.

6. Nimm dir nimmer vor, durch solche Mittel

others do harm to him, and therefore he should not do harm to others.

What you detest, don't do to others. If you do not wish to be slandered, then do not slander others. On the other hand, if you wish to receive favors, then show the same to others. Do you wish to obtain mercy? Show mercy to your neighbor. Do you wish to be praised? Then praise others. If this rule is duly regarded, all transgressions of the first and second tablets of the Law will cease.

5) When you in your vocation propose to do something, do not allow any misgivings about the providence of God, even though you are aware there is a lack of means. However, do not begin anything in your work without having first besought the Lord God's blessing upon your labors. For without God's blessings, all the diligence, effort, labor, and care that we humans of the household invest will be in vain and useless (Psalms 127:1, 2). On the blessing of God all things depend.

Pray therefore to the Lord that He would bless your labors and only then seize hold of the task with a joyful spirit, committing the outcome to the wise providence of God who cares for us and permits no want to those who fear Him (Psalms 34:9).

6) Never propose to get ahead or to support

fortzukommen und dich zu ernähren, die Gott verboten
hat, den was ist das für ein Gewinn, den du erlangest
mit Verlust deiner Seele? Matth. 16, 26.

Es kann sein, daß du durch unerlaubte Mittel etwas
überkommst, aber dadurch wirst du dein Gewissen beflecken
und verletzen; und wer kann die Last eines verletzten,
nagenden Gewissens ertragen? So befleißige dich denn
mit dem heiligen Apostel Paulus, daß du in allen deinen
Verrichtungen und Geschäften allezeit ein gutes Gewissen
habest, vor Gott und den Menschen. Apstg. 24, 16.

7. Werde nicht stolz und hochmütig, ob du schon mit
zeitlichen Gütern gesegnet oder sonst mit schönen Gaben
des Gemüts geziert bist, denn Gott, der sie gegeben, wird
sie dir auch wieder entziehen, wenn du diese seine Gaben
durch Hochmut und Verachtung deines Nächsten
mißbrauchen würdest.

Wenn du auch schon irgend eine Tugend an dir hast,
um derentwillen du also hochmütig bist, so hast du hingegen
so viele Untugenden und Gebrechen an dir, die dich billig
gering in deinen eigenen Augen machen sollten. Wer
sich selbst kennet, wird gewißlich so viele Mängel an sich
finden, daß es ihm schwer fallen wird, eine Ursache
vorzuwenden, um sich über andere zu erheben.

8. Siehe zu, daß du ein rechtschaffener Diener Jesu
Christi seist, nicht nur äußerlich in öffentlicher
Versammlung bei Anhörung des Wortes Gottes, und
dem Gebrauch der heiligen Handlungen des Evangeliums;
sondern auch in deinem ganzen Leben mit Absagung

yourself by any means that God has forbidden, for what kind of gain is that if you have won it at the expense of your soul? (Matthew 16:26).

It may be that through illicit means you do make a profit, but in so doing you defile and violate your conscience. And who can bear the burden of an injured nagging conscience? Therefore, in all your dealings and business, be diligent as was the Apostle Paul to always have a clear conscience before God and man (Acts 24:16).

7) Do not be proud and overbearing even though you have been blessed with this world's goods, or else adorned with fine gifts of personality. For God who has given them will again take them away from you, if you misuse these gifts of His in pride and disdain of your fellow man.

Even though you may possess a certain virtue that causes you to feel proud, by the same token you have so many bad habits and shortcomings which give you ample reason to appear small in your own eyes. He who knows himself will surely find enough of his own faults to make it difficult to justify thinking himself better than others.

8) Strive to be an upright servant of Jesus Christ, not only outwardly in public services to hear God's Word and the religious observances of the Gospel, but also in your whole life by renouncing all sin and in true obedience to live

aller Sünden, und mit einem rechten Gehorsam, nach allen Geboten Gottes zu leben. Sei nicht damit zufrieden, daß du von andern für fromm angesehen wirst, sondern sei das in der Tat, was du scheinest zu sein. Denn wehe dem Menschen, der nicht heilig ist und doch dafür will gehalten sein.

9. Achte es nicht für genug, daß du selbst Gott dienest, wo du nicht siehest, daß alle, die dir anbefohlen sind, auch gleiches tun. Die Pflicht eines Hausvaters bestehet nicht nur darin, daß er für sich selbst allein Gott diene; sondern daß er auch seine Hausgenossen, Kinder, Knechte und Mägde dazu anhalte. Denn also befiehlet Gott allen Hausvätern. Diese Worte die ich dir heute gebiete, sollst du zu Herzen nehmen, und sollst sie deinen Kindern einschärfen, und davon reden, wenn du in deinem Hause sitzest, oder auf dem Wege gehest, wenn du dich niederlegest, oder aufstehest, 5 Mose 6, 7.

So hat Josua, der tapfere und gottesfürchtige Held getan, der sich vor dem ganzen Volk Israel vernehmen ließ: Wenn sie schon dem Herrn nicht zu dienen begehrten, so wolle doch er und sein ganzes Haus dasselbe tun. Jos. 24, 15. Ein jeder Hausvater muß ebensowohl Rechenschaft geben für die Seelen seiner Hausgenossen, als die Obrigkeit von ihren Untertanen, und die Prediger von ihren Zuhörern. Ezech. 3, 18. Darum soll er ja Sorge tragen, daß sein Weib und Kinder, Knechte und Mägde, Gott dem Herrn getreulich dienen, welches der einzige Weg ist, ihre Seelen selig zu machen.

according to all the commandments of God. Do not be satisfied when others think of you as being devout—but truly be in reality what you appear to be. Woe to the man who is not pious yet wants to be considered as such.

9) Do not think it enough if you yourself serve God, if you do not see to it that all those in your care do likewise. The duty of a father is not limited to his serving God alone, but that he also urge the members of his household, his children, servants and maids to do likewise. For God has commanded this to all fathers of families, "These words which I command thee this day shall be in thine heart. And thou shalt teach them diligently unto thy children, and shall talk of them when thou sittest in thine house, and when thou walkest by the way, and when thou liest down, and when thou risest up" (Deuteronomy 6:6, 7).

So did Joshua, the gallant God-fearing hero, who informed all the people of Israel that even if they had no desire to serve the Lord, he and his whole house would nevertheless do so (Joshua 24:15). Every father must give account for the souls in his household just the same as the government for its subjects or the preacher for his audience (Ezekiel 3:18). He should therefore be deeply concerned that his wife and children, servants and maids serve the Lord God faithfully, which is the only way that their souls may be saved.

10. Meide den Müßiggang, als ein Ruhekissen des Teufels und Ursache aller Laster, und sei fleißig in deinem Beruf, damit dich der Teufel nirgend müßig finde. Groß ist die Gewalt, welche der Teufel hat bei den Müßiggängern, die er in allerlei Sünden stürzen kann; denn Müßiggang verursachet allerlei Laster. Als David auf dem Dach seines Hauses müßig ging ist er zum Ehebrecher geworden. 2. Sam. 11, 2=5.

11. Befleißige dich allezeit in deiner Kleidung der Ehrbarkeit, und meide die ärgerliche Kleiderpracht. Es ist eine große Eitelkeit, soviel Kosten auf ein einziges Kleid zu wenden davon man zwei oder drei Personen kleiden könnte. Wenn du in deinem Alter an die Zeit denken wirst, die du nur dich zu schmücken angewendet hast, so wirst du dich nur betrüben, daß du die eitle Kleiderpracht so sehr geliebt.

Lese oft in Gottes Wort, du wirst darin viele Drohungen gegen die Hoffart finden: du wirst sehen, daß keine Sünde mehr gestraft worden ist, als die Hoffart; sie hat die Engel in Teufel, den gewaltigen König Nebucadnezar in ein wildes Tier verwandelt; die Isebel ist um derselben willen von den Hunden gefressen worden. 2. Kön. 9, 30=37.

12. Tue niemals etwas im Zorn, sondern bedenke zuvor wohl was du tun willst, damit es dich nicht hernach gereue, und du einen bösen Namen bekommest; unterdessen wird sich dein Zorn legen, und wenn du wieder bei dir selber bist, wirst du sehen können, was du zu tun hast.

10) Avoid idleness as a resting-pillow of the devil and a cause of all sorts of wickedness. Be diligent in your calling so that the devil never finds you idle. Great is the power the devil has over the slothful, to plunge them into all kinds of sins, for idleness gives rise to every vice. It was when David was idle on his housetop that he became an adulterer (2 Samuel 11:2-5).

11) Strive at all times to be respectable in your clothes and have nothing to do with the vexing pomp and display of raiment. It is a great vanity to spend as much on one suit as would clothe two or three persons. If you in your old age were to think back to how much time you spent merely to adorn yourself, you could not but grieve that you ever loved such vain display.

Read often in God's Word, and you will find many warnings against pride. You will see that no sin was punished more severely than pride. It changed angels into devils, and the powerful King Nebuchadnezzar into a wild beast. It was because of pride that Jezebel was eaten by dogs (2 Kings 9:30-37).

12) Never do anything in anger, but carefully think it over first lest you come to regret it, and gain thereby a bad name. Meanwhile your anger will have cooled, and when you have again come to yourself you will be able to discern what you

Mache jederzeit einen Unterschied zwischen dem, der dich aus Unvorsichtigkeit und gegen seinen Willen beleidiget, und dem, der es mit Fleiß und boshafter Weise tut; Jenem lasse Gnade widerfahren, diesem aber Gerechtigkeit.

13. Mache dich mit keinem gar zu vertraulich, außer dem, der von Herzen Gott fürchtet; denn das ist gewiß, daß alle und jede Freundschaft, wie sie auch beschaffen sein mag, so sie auf ein anderes Fundament gegründet ist, als auf die Furcht Gottes, mag nicht lang bestehen.

14. Liebe deine Freunde also, daß du ihnen nicht zu viel trauest; denn dieses Leben ist so vielen Zufällen und Veränderung unterworfen, daß wie man sich immer verhaltet, man dennoch schwerlich Freundschaft bis an sein Ende mit allen Freunden halten kann.

15. Wenn du in einigerlei Streit mit deinem Freund geratest, verachte ihn deswegen nicht, offenbare auch seine Heimlichkeiten nicht, Spr. 11, 13. Denn du wirst mit ihm wieder zum Freunde werden können.

16. Niemand ist sein eigener Herr, sondern nur Verwalter über das so er hat und besitzt, daher mußt du von deinem Gut dem Bedürftigen mitteilen, und das weislich, willig und von Herzen. Röm. 21, 13; 2. Cor. 9, 7.

17. Wem du zu befehlen hast, den regiere vielmehr in Güte und Sanftmut, als durch Furcht und Schrecken;

have to do. Always make a difference between one who wrongs you through lack of foresight and against his will, and one who does so deliberately and with malice. To the former show grace, to the latter fairness. (See Matthew 5:44. Tr.)

13) Do not become too intimate with any man, except he fear God from his heart. For it is certain that any and all friendships, however established, if they are built upon any other foundation than the fear of God, cannot long endure.

14) Love your friend in such a way that you are not too confidential with him. This life is so subject to change and circumstance that no matter how a man conducts himself, it is hard for him to retain the good will of all his friends until the end of his days.

15) If you happen to get into any kind of dispute with your friend, do not despise him for it nor betray his confidences (Proverbs 11:13). For you want to be able to become friends with him again.

16) No one is his own master, only a steward over that which he has and possesses. Therefore, you must distribute of your goods to the needy, and do it wisely, willingly, and from the heart (Romans 21:13; 2 Corinthians 9:7).

17) If you are in a position of authority, rule much more with kindness and meekness than with

denn es ist besser, als wenn es durch Tyrannei geschiehet, dabei immerdar Sorge und Angst ist. Die Gerechtigkeit Gottes kann nicht leiden, daß Tyrannei lang währet: denn strenge Herren regieren nicht lang.

Gedenke, daß das strenge Recht eine große Ungerechtigkeit ist. Gott fordert von den Oberherren ebensowohl die Sanftmut, als die Gerechtigkeit. Deswegen herrsche über deine Untertanen in Liebe und Barmherzigkeit, und mache es also, daß sie dich mehr lieben als fürchten.

18. Endlich sei in deinem Wandel gegen jedermann freundlich, niemand beschwerlich; lebe gegen Gott heilig, gegen dich selbst mäßig, gegen deinen Nächsten billig; im Leben sei bescheiden, im Grüßen höflich, im Vermahnen freundlich, im Verzeihen willfertig, im Verheißen wahrhaft, im Reden weis, und vergelte gerne nach reinem Vermögen, wenn dir Gutes geschiehet.

fear and terror; for this is better than the use of tyranny, which is always accompanied by sorrow and anxiety. The righteousness of God cannot long endure tyranny—oppressors do not rule for long.

Remember that a harsh administration is a great injustice. God requires meekness from those in authority just as much as justice. For this reason, rule over your subjects with love and mercy so that they will love you more than they fear you.

18) Finally, in your conduct be friendly toward everyone and a burden to none. Toward God, live a holy life; toward yourself, be moderate; toward your fellow men, be fair; in life, be modest; in your manner, courteous; in admonition, friendly; in forgiveness, willing; in your promises, true; in your speech, wise; and out of a pure heart gladly share of the bounties you receive.

Gebete in vielen Anliegen.

Eine Erinnerung etlicher Stücke,

darum wir billig zu Gott seufzen und beten sollen.

1. Daß Gott, der Herr, alle betrübten Gewissen, alle elenden, geängsteten, gefangenen Menschen aus der Not erretten, uns und sie trösten wolle.

2. Daß Er allen Irrtum, beiden, alten und neuen, sammt allem falschen Schein, durch's Licht Seiner Gnade wolle entdecken und offenbaren.

3. Daß Er die wahre Gerechtigkeit des Herzens, und Sein heiliges Evangelium, das in der Kraft, im heiligen Geist und in vieler Gewissenschaft ist, für und für besser wolle hervorbringen.

4. Daß Er dazu viele fromme und treue Diener erwarte und hervorbringe, die nach Seinem Herzen gerichtet seien, die das Gewissen erbauen und Sein Volk versammeln im heiligen Geiste.

5. Daß Er aller deren Rathschläge und Vornehmen zerstören wolle, welche Seinen heiligen Wegen wehren, welche die wahre Erkenntniß Gottes und Christi verstören, welche die Geister auslöschen, den heiligen Geist betrüben, und den Aufgang der wahren Buße und Gottseligkeit verhindern.

A Reminder Of Certain Things For Which

We Should Sigh And Pray To God

1) That God the Lord would deliver all troubled consciences, all destitute, anxious, imprisoned persons from distress, and would comfort us and them.

2) That He, through the light of His grace, would uncover and reveal all error, both old and new, as well as all false appearance.

3) That He would bring forth more and more the true righteousness of the heart and His holy gospel—which exists in power, in the Holy Spirit, and in the devoted consciences of many.

4) That to this end He would anticipate and bring forth many devout and faithful servants who are attuned to His heart, who cultivate a good conscience, and who gather His people in the Holy Spirit.

5) That He would destroy all the counsel and undertakings of those who resist His holy ways—those who interfere with the true knowledge of God and Christ, who quench the Holy Spirit, and hinder the process of true repentance and salvation.

6. Daß Er in uns Luſt und Liebe, ja auch einen Hunger und Durſt erwecke nach Seiner göttlichen Erkenntniß und Willen.

7. Daß wir ernſthaft werden, beſtändig den alten Menſchen ausziehen und den neuen anziehen.

8. Daß uns Gott der Herr vom Himmel Seinen heiligen Geiſt um Chriſti willen ſenden wolle, der uns in alle Wahrheit führe, daß wir durch Ihn ein Herz, eine Seele, einen Mut, einen Sinn erlangen und in Chriſto Jeſu wahrhaftig ganz eins werden.

9. Daß wir in Lehre und Leben, in Wandel und Weſen allweg auf den einigen Meiſter Chriſtum Jeſum ſehen, daß wir ohne Unterlaß Gott vor Augen haben, immer in Seiner Furcht wandeln und auch alle Dinge wohl gebrauchen lernen.

10. Für alle unſere Brüder und Schweſtern, die mit uns eines rechten Glaubens, einer Hoffnung, einer Liebe Gottes und eines Herrn Chriſti in aller Gedult verharren, Troſt, Friede und Freude in unſern Herzen erlangen. Amen.

Gebet um die Nachfolgung Chriſti.

Ach! Du holdſeliger, freundlicher, liebreicher Herr Jeſu Chriſti! Du ſanftmütiger, demütiger, geduldiger Herr!

6) That He would awaken in us a desire and love, indeed, also a hunger and a thirst for His divine knowledge and will.

7) That we would become earnest and steadfast to put off the old man and put on the new.

8) That God the Lord would send to us from heaven His Holy Spirit for the sake of Christ, to lead us in all truth, so that through Him we might attain to becoming one heart, one soul, one spirit, one mind, and in Christ Jesus become truly and wholly one.

9) That in our teaching and life, in our walk and being we would always look to the one Master Christ Jesus, that without intermission we have God before our eyes, always walking in His fear and learning to use all things well.

10) For all our brothers and sisters who with us remain patiently faithful in one true faith, one hope, one love of God and one Lord Christ—that we might obtain comfort, peace, and joy in our hearts. Amen.

A Prayer For Christian Discipleship

Oh, Thou gracious, kind and loving Lord Jesus Christ! Thou gentle, humble, patient Lord! What

wie ein schönes, tugendreiches Exempel eines heiligen
Lebens hast Du uns gelassen, daß wir nachfolgen sollen
Deinen Fußstapfen; Du bist ein unbefleckter Spiegel
aller Tugenden, ein vollkommenes Exempel der Heiligkeit,
eine untadelhafte Regel der Frömmigkeit, eine gewisse
Richtschnur der Gerechtigkeit.

Ach! wie ungleich ist doch mein sündliches Leben
gegen Dein heiliges Leben! Ich sollte in Dir als eine
neue Creatur leben, so lebe ich mehr in der alten Creature,
nämlich in Adam, als in Dir, meinem lieben Herrn
Jesu Christo! ich sollte nach dem Geist leben, so lebe ich
leider nach dem Fleisch, und weiß doch was die Schrift
sagt: Wo ihr nach dem Fleisch lebet, so werdet ihr sterben.

Ach! Du freundlicher, geduldiger, langmütiger Herr!
vergib mir meine Sünde, decke zu meine Gebrechen,
übersiehe meine Missethaten, verberge Deine heiligen,
zarten Augen vor meiner Unreinigkeit, verwirf mich nicht
von Deinem Angesicht, verstoß mich nicht von Deinem
Hause als einen Unreinen und Aussätzigen, tilge aus
meinem Herzen alle Hoffart, welche ist des Teufels
Unkraut, und pflanze in mich Deine Demut als die
Wurzel und das Fundament der Tugend.

Reute zu Grund aus in mir alle Rachgierigkeit und
gib mir Deine edle Sanftmut. Ach! Du höchste Zierde
aller Tugenden, schmücke mein Herz mit reinem Glauben,
mit feuriger Liebe, mit lebendiger Hoffnung, mit heiliger
Andacht, mit kindlicher Furcht.

a beautiful, virtuous example of a holy life Thou hast given, for us to follow in Thy footsteps. Thou art a spotless mirror of all virtue, a perfect model of holiness, a blameless standard of piety, a true plumbline of righteousness.

Oh, what a contrast is my sinful life compared to Thy holy life! I am supposed to live in Thee as a new creature, yet I live more according to the old creation, namely in Adam, than I do in Thee, my dear Lord Jesus Christ. I ought to live according to the Spirit, but alas, I live according to the flesh, even though I know what the Scriptures say: "If ye live after the flesh, ye shall die."

Oh, Thou kind, patient, long-suffering Lord, forgive me my sins, cover up my infirmities, overlook my misdeeds, hide Thy holy, tender eyes from my impurity. Cast me not away from Thy countenance, expel me not from Thy house as one who is unclean or leprous; purge from my heart all pride, which is the devil's weed, and implant in me Thy humility as the root and foundation of virtue.

Root out every trace of vengeance that is in me and give me Thy precious gentleness. Oh, Thou highest crown of all virtue, adorn my heart with pure faith, with fervent love, with a living hope, with holy devotion, with childlike reverence.

O Du meine einige Zuversicht! meine Liebe und
meine Hoffnung! meine Ehre, meine Zierde! Dein Leben
ist ja nichts anders gewesen denn Liebe, Sanftmut und
Demut; darum laß Du dein edles Leben in mir auch
sein; Dein tugendhaftes Leben sei auch mein Leben. Laß
mich ein Geist, ein Leib und ein Seele mit Dir sein, auf
daß ich in Dir und Du in mir lebest. Lebe Du in mir,
und nicht ich selbst; gib daß ich Dich also erkenne und
lieb habe, daß ich also wandle, gleichwie Du gewandelt
hast.

Bist Du mein Licht, so leuchte in mir; bist Du mein
Leben, so lebe in mir; bist Du meine Zierde, so schmücke
mich schön; bist Du meine Freude, so freu Dich in mir;
bin ich Deine Wohnung, so besitze mich allein, laß mich
allein Dein Werkzeug sein, daß mein Leib, meine Seele
und mein Geist heilig sei.

Du ewiger Weg, leite mich! Du ewige Wahrheit,
lehre mich! Du ewiges Leben, erquicke mich! Laß mich ja
nicht des bösen Geistes Werkzeug sein, daß er nicht seine
Bosheit, Lügen, Hoffart, Geiz, Zorn und Unsauberkeit
durch mich und in mir übe und vollbringe; denn das ist
des Satans Bild, davon Du mich, o Du schönes,
vollkommenes Ebenbild Gottes, erlösen wollest.

Erneuere aber meinen Leib, Geist und Seele täglich
nach Deinem Bilde, bis ich vollkommen werde. Laß mich
der Welt absterben, auf daß ich Dir lebe; laß mich mit
Dir auferstehen, auf daß ich mit Dir gen Himmel fahre;

Oh, Thou my only refuge, my love and my hope, my honor, my adornment! Thy life has been nothing but love, meekness, and humility. Therefore, let Thy noble life dwell also in me. Thy virtuous life be my life, too. Let me be one spirit, one body, and one soul with Thee, so that I may live in Thee and Thou in me. Live Thou in me, and not I myself. Grant that I may so acknowledge and love Thee as to enable me to walk as Thou hast walked.

If Thou art my light, then shine in me; if Thou art my life, then live in me; if Thou art my jewel, then adorn me with beauty; if Thou art my joy, then rejoice in me; if I am Thy dwelling place, then possess me wholly—let me be Thy instrument, and Thine alone, so that my body, my soul, and my spirit may be sanctified.

Thou Eternal Way, lead me! Thou Eternal Truth, teach me! Thou Eternal Life, revive me! Let me not be an instrument of the evil spirit lest he exercise and fulfill his wickedness, lying, pride, greed, wrath, and filth in and through me. For such is the image of Satan, from which Thou wouldst deliver me, O Thou fair and perfect Image of God.

Instead, renew my body, spirit and soul each day according to Thy image until I am made perfect. Let me die to the world so that I may live to Thee; let me arise with Thee so that I can ascend

laß mich mit Dir gekreuziget werden, auf daß ich zu Dir in deine Herrlichkeit eingehen möge. Amen.

Eine kurze Form des Gebets, bei der heiligen Taufe zu gebrauchen.

O Du allmächtiger Gott! barmherziger, lieber Vater, der Du von Ewigkeit nicht allein hast zuvor gewußt, daß der geschaffene Mensch nicht in seiner Unschuld bleiben, sondern zum Fall kommen und die rechtfertige Schuld der Strafe auf sich selbst laden sollte, sondern Du (der Du Dein Geschöpf liebest) hast auch für ihn von Ewigkeit versehen und in der Fülle der Zeit Deinen eingebornen Sohn nicht gesparet, sondern denselben für ihn gesandt und übergeben, auf daß alle, so an Ihn glauben, nicht verloren werden, sondern das ewige Leben haben.

Und hast ihnen solche Liebe und Gnade durch Dein heiliges Evangelium verkündigen und anbieten lassen, und Allen, die dies annehmen und glauben, durch dasselbe befohlen, daß sie sich ließen taufen im Namen Jesu. Das ist durch Deine Gnade von diesen Gegenwärtigen beherziget, und sitzen nun mit gebeugten Knieen des Herzens vor Dir und bekennen bereit zu sein, hierin Deinen göttlichen Willen und den Befehl Deines geliebten Sohnes zu vollbringen.

Sie sagen ab dem Teufel, der Welt und ihrem eigenen

with Thee into heaven; let me be crucified with Thee so that I can enter with Thee into Thy glory. Amen.

A Brief Form Of Prayer To Be Used With Holy Baptism

0 Thou Almighty God, merciful, dear Father, Thou who from eternity didst know that the created human race would not long remain in its innocence but would come to the Fall and load upon itself the just blame for its punishment; and not only that, but Thou (who loveth Thy creation) hast also from eternity made provision for humankind; and in the fullness of time Thou didst not spare Thy only Son but sent and gave Him up for them, so that all who believe in Him should not be lost but have eternal life.

And Thou hast proclaimed and offered this great love and grace through Thy holy gospel, and all who receive and believe it Thou hast commanded by the same that they should let themselves be baptized in the name of Jesus. That is what, by Thy grace, those who are present here have taken to heart and are now sitting with bowed hearts before Thee, confessing that they are ready to fulfill Thy divine will in this and the command of Thy beloved Son.

They renounce the devil, the world and their

Fleisch und Blut, sie begehren Jesu Christo allein zu leben, der für sie gestorben, auferstanden und gen Himmel gefahren ist, welchen sie bekennen, zu sein der Sohn des lebendigen Gottes, ihr Erlöser und Seligmacher. Sie consentiren und bewilligen gerne Deinem heiligen Evangelio zu glauben und sich zu aller Gehorsamkeit desselben zu begeben; aber, o lieber barmherziger Vater! Du weißt, daß es in des Menschen Vermögen nicht stehet, noch daß der Mensch solches von ihm selber hat, sondern daß Du, o Gott! derselbe bist, der das Wollen und Tun durch Gnade in uns müsse vollbringen. So tue nun, lieber Herr! die Augen Deiner Barmherzigkeit über diese Creature und Geschöpfe auf.

Schlage an dies Werk Deine allmächtige Hand, auf daß diese durch Deine Kraft wider die Sünde, Welt, Teufel und Hölle also mögen streiten und überwinden, daß sie zu himmlischen Königen mögen gekrönet werden. Daß sie aller weltlichen und fremden Liebe abgesagt, schön und sauber gewaschen, Christo, Deinem Sohn, als eine reine Jungfrau, zu einer Braut mögen zugeführt werden; daß sie des Teufels Reich, welches die Sünde ist, verlassen, und Miterben Deines himmlischen Reiches der Gerechtigkeit mögen werden; daß sie doch durch den Bund, welchen sie nun zur Gehorsamkeit mit Dir aufrichten, ein gutes Gewissen mögen haben, wegen Vergebung der Sünden, und daß ihre Hoffnung zum ewigen Leben möge fröhlich sein.

O Du Himmlischer Vater! nimm diese in Deiner

own flesh and blood; they desire to live only for
Jesus Christ, who died for them, arose, and is
ascended to heaven, whom they confess to be the
Son of the living God, their Redeemer and Saviour.
They consent and gladly agree to place their faith
in Thy holy gospel, and to give themselves in full
obedience to it. But, dear gracious Father, Thou
knowest that it is not in the power of humans, nor
that a man can do this of himself, but that Thou,
O God, art the One who must accomplish in us
both the will and the deed, through grace. So turn
now, dear Lord, the eyes of Thy mercy upon these
Thy creatures and creation.

Lay Thy almighty hand upon this work so that
these persons may be enabled by Thy power to
strive against and overcome sin, the world, the
devil, and hell, so that they may be crowned as
heavenly kings. That they may have rejected all
worldly and alien love, been washed beautiful and
clean, and thus led as a pure virgin to Christ, Thy
Son, to be His bride; that they may have forsaken
the devil's kingdom, which is sin, and have become
joint heirs of Thy heavenly kingdom of
righteousness; that by the covenant, which they
in obedience are now setting up with Thee, they
may have a good conscience regarding the
forgiveness of their sins, and that their hope of
eternal life may be joyous.

Oh, Thou Heavenly Father, receive these in Thy

Gnade an, vergib ihnen ihre Sünden, erwähle sie zu Deinen Kindern, und stelle sie aus Gnaden in die Erbschaft Deiner himmlischen Güter.

O Christe! Du Sohn Gottes! verleihe ihnen doch alle Deine Verdienste, und teile ihnen mit alle Deine Würdigkeiten und Gerechtigkeit; wasche sie in Deinem Blut, nimm sie an zu Deinen Brüdern und Schwestern und zu Miterben Deines himmlischen Reichs.

O Du gütiger heiliger Geist! teile ihnen mit Deine Gaben, befestige sie im Glauben, entzünde in ihnen die Gebete, fange an sie zu erneuern, daß sie das Fleisch tödten und Deinem Beruf mögen folgen. Dazu unterhalte und bewahre sie im Glauben, daß sie das Gegenteil und den Tod überwinden mögen. Alles zu Ehr und Preis Deiner göttlichen Majestät, und zu ihrer Seelen Seligkeit. Darum bitten wir Dich nun einmütiglich, sprechend: Unser Vater, u.

In Deinem Namen soll, o Gott! dies Werk angefangen werden, vollführe Du es doch durch Deine göttliche Gnadenkraft. Das bitten wir Dich durch Deinen Sohn Jesum Christum. Amen.

Eine kurze Form des Gebets

über diejenigen, so bereit sind zu heiraten, mit andächtigem Herzen zu sprechen.

O Herr, Du allmächtiger, barmherziger Gott! nachdem

mercy, forgive them their sins, choose them to be Thy children, and set them by grace to the inheritance of Thy heavenly riches.

O Christ, Thou Son of God, bestow upon them all Thy merits, distribute to them all Thy worth and righteousness; wash them in Thy blood, receive them as Thy brothers and sisters and as joint heirs of Thy heavenly kingdom.

O Thou gracious Holy Spirit, divide of Thy gifts to them, establish them in the faith, kindle prayer in them, begin to renew them so that they may mortify the flesh and follow Thy call. For that purpose, sustain and preserve them in the faith so that they may overcome the adversary and death. All to the honor and praise of Thy divine majesty and to the salvation of their souls. For this we beseech Thee, with one mind, saying: Our Father, . . .

In Thy name, O God, shall this work be begun; do Thou complete it through the power of Thy divine grace. This we ask of Thee through Thy Son, Jesus Christ. Amen.

A Short Form Of Prayer

for those who are about to be married, to be spoken with a reverent heart

O Lord, Thou almighty, merciful God! As Thou

Du durch Deine ewige Weisheit und Güte hast angesehen, daß es nicht gut sei, daß der Mensch, nach Deinem Bilde geschaffen, allein sei, sondern hast ihm zu Anfang eine Gehülfin (die Frau, aus seiner Rippe gemacht) gegeben zur Vermehrung des menschlichen Geschlechts, und um alle Unreinigkeit zu vermeiden, den heiligen Ehestand eingesetzt, welchen auch Dein liebes Kind, Jesus Christus, reformirt und befestigt hat.

Solches nun nach Deinem göttlichen Willen zu beginnen und zu befestigen, stehen diese bereit vor Dir, o Gott! Eröffne doch die Augen deiner Barmherzigkeit über sie, und wollest Du sie doch, o Gott! benedeien und segnen, und ihnen Deine göttliche Gnade verleihen, daß doch ihre Herzen und Gemüter mit dem Fürnehmen in Dir allein mögen gerichtet sein, Deine göttliche Ehre allein zu suchen und ihrer Seelen Seligkeit.

Daß sie doch also, gleich es den Heiligen geziemet, diesen Ehestand aufrichten und unterhalten und vor des Teufels Versuchung mögen bewahrt werden, und daß sie in allem Kreuz, Leiden und bevorstehenden Nöten so ihnen hierin begegnen, Deines göttlichen Trostes mögen genießen.

Dies bitten wir Dich, o Gott und Vater! für sie, durch Deinen vielgeliebten Sohn Jesum Christum, unsern Herrn, der uns in anliegenden Nöten hat lehren beten: Unser Vater, u.

in Thy eternal wisdom and goodness hast observed that it is not good for man, created in Thy image, to be alone; therefore, Thou didst in the beginning give him a helper (the woman, made of his rib) for the propagation of the human race and to avoid all impurity, thus installing the institution of matrimony which Thy beloved Child Jesus Christ reformed and confirmed.

To now begin and establish such [a marriage] according to Thy divine will, these stand ready before Thee, O God. Do open the eyes of Thy mercy upon them, O God, and mayest Thou indeed bless them and consecrate them. Bestow on them Thy divine grace so that their hearts, minds, and purpose may be set on Thee alone, to seek only Thy divine honor and the salvation of their souls.

May they also, as becometh saints, be able to thus establish and persevere in this marriage, be preserved from the temptations of the devil, and in whatever cross, suffering, or impending affliction which may befall them, may they be participants of Thy divine comfort.

This we ask for them, O God and Father, through Thy dearly beloved Son, Jesus Christ, our Lord, who taught us in all our needs to pray: Our Father . . . etc.

Ein Gebet frommer Eltern für ihre Kinder

Ach Herr! lieber getreuer Gott und Vater, Schöpfer und Erhalter aller Creaturen! gib uns doch auch die Gnade, daß wir unsere Kinder in der Zucht und Vermahnung zum Herrn und in aller Gerechtigkeit auferziehen können, und ihnen in aller Gottesfurcht und Tugend vorangehen mögen.

Du wollest auch unsern Kindern Gnade schenken und ihnen die Gabe des heiligen Geistes erteilen, daß sie unsere Anweisungen in Liebe und Gottesfurcht auf= und annehmen mögen. Entzünde in ihnen die wahre Furcht Gottes, welche der Weisheit Anfang ist, daß sie darnach tun mögen und nach Deiner Verheißung ewiglich bleiben.

Beseelige sie mit Deiner wahren Erkenntniß; behüte sie vor aller Abgötterei und falschen Lehre, lasse sie in dem wahren seligmachenden Glauben und aller Gottseligkeit aufwachsen, und darin beharren bis an's Ende; gib ihnen ein gläubiges, gehorsames Herz, auch die rechte Weisheit und Verstand, daß sie wachsen und zunehmen an Alter und Gnade bei Gott und den Menschen.

Ach! pflanze in ihre Herzen die Liebe Deines göttlichen Wortes, daß sie andächtig seien im Gebet und Gottesdienste, ehrerbietig gegen die Diener des Wortes und gegen Jedermann, aufrichtig im Handel und Wandel, daß sie züchtig, gerecht und treu in aller Gottseligkeit leben; ja,

A Prayer Of Devout Parents
For Their Children

O Lord! dear faithful God and Father, Creator and Sustainer of all living beings! Grant to us also Thy grace that we may bring up our children in the discipline and admonition of the Lord and in all righteousness, and that we may lead them in all fear of God and in virtue.

Thou wilt grant grace to our children also and impart to them the gift of the Holy Spirit so that they may accept and embrace our instructions in love and piety. Kindle in them the true fear of God which is the beginning of wisdom, so they may live in accordance with it and by Thy promises abide therein forever.

Bless them with Thy true knowledge. Protect them from all idolatry and false teaching. Let them grow up in the true saving faith and in all godliness and remain steadfast therein unto the end. Give them a believing, obedient heart, and also true wisdom and understanding so that they may grow and increase in age and in favor with God and man.

Oh, plant in their hearts the love for Thy divine Word that they may be attentive in prayer and in divine worship, respectful toward the ministers of the Word and to everyone, upright in their business dealings and general conduct, that they may live

daß sie gegen alle Menschen Liebe und Sanftmut beweisen, und behüte sie vor aller Aergerniß der bösen Welt, daß sie nicht durch üble Gesellschaft verleitet werden.

Laß sie nicht in Laster geraten, auch Andere nicht beleidigen; sei ihr Schutz in allerlei Gefahr, daß sie nicht plötzlich umkommen. Laß unsere Gemeinde hier auf Erden durch uns, unsere Kinder und Nachkommenschaft erhalten und vermehrt werden, auf daß wir mit ihnen in Deinem ewigen Himmelreich, mit der Schaar, die Niemand zählen konnte, und die Palmen in ihren Händen trugen, Dich loben mögen; ja, das neue Lied mit Freuden singen zum Lobe Deines heiligen Namens, in Jesu heiligem Namen. Amen.

Gebet um Erhaltung im christlichen Glauben und christlichen Tugenden bis zum seligen Ende.

O Herr, himmlischer Vater! von welchem alle guten und vollkommenen Gaben von oben herab kommen, Vater des Lichtes! der Du in uns wirkest beides das Wollen und das Vollbringen, nach Deinem Wohlgefallen. O Herr Jesu Christe! der Du bist der Anfänger und Vollender des Glaubens, und o heiliger Geist! der Du wirkest Alles in Allem nach Deinem Wohlgefallen, wir bitten Dich von Herzen, Du wollest das gute Werk, so Du in uns

soberly, righteously, and faithfully in all godliness. Indeed, that they may show love and meekness toward all men. And safeguard them against every temptation of the evil world so that they may not be led astray by bad companions.

Let them not fall into wickedness, nor be an offense to others. Be their protection in every danger lest they perish suddenly. Let our church here on earth be preserved and increased through us, our children and posterity, so that we with them may praise Thee in Thy eternal celestial kingdom with the multitudes that no one can count, and with palm branches in our hands; yes, to sing the new song with joy to the praise of Thy holy name, in Jesus' holy name. Amen.

Prayer To Be Preserved In The Christian Faith And Christian Virtues Until A Blessed End

O Lord, heavenly Father, from whom all good and perfect gifts descend; Father of Light, Thou who worketh in us both to will and to do according to Thy pleasure; O Lord Jesus Christ, Thou who art the author and finisher of faith, and O Holy Spirit, Thou who worketh all in all according to Thy pleasure, we pray Thee from our hearts that Thou wouldst bring to completion the good work

angefangen, vollführen bis auf den Tag Jesu Christi, daß wir mögen je mehr und mehr reich werden in allerlei Erkenntniß und Erfahrung, daß wir prüfen mögen, was das Beste sei, auf daß wir lauter und unanstößig bis auf den Tag Jesu Christi sein möchten, erfüllet mit Früchten der Gerechtigkeit, die in uns geschehen durch Jesum Christum, zur Ehre Gottes.

Ach Gott! wir tragen einen Schatz in irdischen Gefäßen, aber der Teufel, die Welt und unser eigenes Fleisch plagen uns und streiten wider die Seele; gib, daß wir ritterlich kämpfen und den Sieg behalten, daß wir diese Feinde in uns überwinden und unseren Leib geben zum Opfer, das da heilig, lebendig und Gott wohlgefällig ist, und uns verändern durch Erneuerung unseres Sinnes, daß wir prüfen mögen, welches da sei der gute, gnädige, wohlgefällige und vollkommene Gotteswille.

Gib uns, o Herr Jesu! Kraft, nach dem Reichtum Deiner Herrlichkeit zu streben, durch Deinen Geist stark zu werden an dem inwendigen Menschen, und daß Du durch den Glauben in unseren Herzen wohnen, und durch die Liebe eingewurzelt und eingegründet sein mögest, daß wir erkennen lernen wie hoch und wie tief Deine Liebe ist, und daß Christum liebhaben, und erfüllet werden mit allerlei Gottesfülle besser sei, denn alles Wissen.

Ach, lieber himmlicher Vater! es ist ja Dein Wille, daß Du Keinen verlierest von allen denen, die Du Deinem lieben Sohne gegeben hast, darum erhalte uns im Glauben, befestige uns in der Liebe, stärke uns in der Hoffnung.

which Thou hast begun in us, until the day of Jesus Christ, so that we may become more and more rich in all manner of knowledge and experience, and be able to prove what is the best, what is pure and inoffensive until the day of Jesus Christ—filled with the fruits of righteousness occurring in us through Jesus Christ, to the honor of God.

Oh, God, we are carrying a treasure in earthen vessels, but the devil, the world, and our own flesh torment us and war against the soul. Grant that we may fight gallantly and win the victory and prevail over these foes within us, presenting our bodies as a sacrifice that is holy, alive, and pleasing to God, being transformed through the renewing of our minds so we can prove what is that good, gracious, acceptable and perfect will of God.

Give us strength, O Lord Jesus, to strive for the riches of Thy glory, being made strong in the inward man through Thy Spirit; and that Thou might dwell in our hearts through faith, rooted and grounded through love so that we can learn to know how high and how deep Thy love is, and that to love Christ and to be filled with all of God's fullness is better than all knowledge.

Oh, dear heavenly Father, it is indeed Thy will that not one of those whom Thou hast given to Thy dear Son should be lost to Thee; therefore preserve us in the faith, secure us in love, strengthen us in hope.

Ach, Du heilige Dreifaltigkeit! komme und mache Wohnung bei uns, erfülle uns hier mit Deiner Gnade, und dort mit Deiner ewigen Herrlichkeit, erhöre unser Gebet, gib uns Deinen heiligen Geist, der uns mit Deinem göttlichen Wort erleuchte, heilige und lehre, stärke, gründe und zum ewigen Leben erhalte.

Sende Dein Licht und Deine Wahrheit, daß sie uns leiten und zu Deiner Wohnung bringen. Laß uns einen guten Kampf kämpfen, daß wir den Glauben und ein gutes Gewissen behalten mögen. Leite uns in Deiner Wahrheit, und lehre uns, denn Du bist der Gott, der uns hilft, täglich harren wir Dein.

Gedenke, Herr, an Deine Barmherzigkeit und an Deine Güte, die von der Welt her gewesen ist. Gedenke nicht der Sünden unserer Jugendjahre, noch unserer Uebertretung, gedenke aber unser nach Deiner Barmherzigkeit um Deiner Güte willen.

Ach, Herr Jesu! gib uns wahre Buße, herzliche Reue und Leid über unsere Sünden, eine göttliche Traurigkeit, die in uns wirket eine Reue, die Niemand gereuet, daß unsere Herzen zubereitet und zu Deinem Troste und Deiner hochwürdigen Vergebung der Sünde fähig werden. Gib uns den Geist der Liebe, der Sanftmut, der Demut, der Andacht, der Gottesfurcht, der Gnade und des Gebets, daß wir mit allen Heiligen besitzen mögen Dein Reich, ergreifen Deine Liebe und das ewige Leben.

O, Thou holy Trinity, come and make Thy dwelling with us, fill us here below with Thy grace and there above with Thy eternal glory, give ear to our prayer, grant us Thy Holy Spirit who through Thy divine Word may enlighten us, sanctify, teach, strengthen, establish and preserve us to eternal life.

Send Thy light and Thy truth so that they may lead us and bring us to Thy dwelling place. Let us fight a good fight so that we may keep the faith and a good conscience. Lead us in truth and teach us, for Thou art the God who helps us—daily we trust in Thee.

Remember, Lord, Thy mercy and Thy goodness which have existed from the beginning of the world. Remember not the sins of our youthful years, nor our transgressions—remember us rather according to Thy mercy and for the sake of Thy goodness.

Oh, Lord Jesus, grant us true repentance, heartfelt remorse and sorrow for our sins, a godly sorrow that worketh in us a sorrow that no one repenteth of, so that our hearts may be prepared and fitted for Thy comfort and Thy most worthy forgiveness of sins. Give us the spirit of love, of meekness, of humility, of worship, of godly fear, of grace and of prayer so that with all the saints we may possess Thy kingdom, laying hold of Thy love and eternal life.

O Gott! erleuchte uns doch mit Deinem heiligen und guten Geiste, wende unsere Herzen ab von der Welt, der Augenlust, Fleischeslust und dem hoffärtigen Leben. Gib, daß wir den heiligen und hochgelobten Namen Gottes recht heiligen, allezeit preisen, nimmermehr lästern, in Verfolgung nicht verleugnen und in Todesnot bekennen mögen.

Gib, daß Gottes Reich in uns sei und bleibe, und des Teufels Reich zerstöret werde; behüte uns vor Lügen und Irrthum, vor Blindheit und Finsterniß des Herzens; wirke in uns Gerechtigkeit, Friede und Freude in dem heiligen Geiste und der Friede Gottes, der höher ist denn alle Vernunst, bewahre unsere Herzen und Sinnen in Christo Jesu, unserem Herrn.

O Gott! gib, daß wir Deinen Willen gerne tun, und unserem fleischlichen Willen absagen und denselben tödten. Und wenn unser letztes Stündlein kommt, so gebe, daß der ewige Name Jesu unser letztes Wort und Seufzer sein möge, und daß wir in ihm selig entschlafen und mit Freuden am jüngsten Tage zum ewigen Leben mögen auferstehen durch Jesum Christum. Amen.

O God, enlighten us with Thy holy and good Spirit; turn our hearts away from the world, from the lust of the eyes, the lust of the flesh, and a prideful life. Grant that we may truly hallow the sacred and highly-exalted name of God, evermore praising, never to blaspheme, in persecution not denying, at peril of death professing.

Grant that God's kingdom may be in us, and abide there, and the devil's kingdom be destroyed; shield us from lies and error, from blindness and darkness of the heart; create in us righteousness, peace and joy in the Holy Spirit; and the peace of God which is higher than all understanding, keep our hearts and minds in Christ Jesus, our Lord.

O God, grant that we may do Thy will gladly, denying our fleshly will and putting it to death. And when our final hour comes, so grant that the eternal name of Jesus may be our last word and sigh, and that in Him we may fall asleep in a blessed state to arise with joy at the last day to eternal life, through Jesus Christ. Amen.

Ach Bleib Bei Uns, Herr Jesu Christ

Unpartheyisches Gesang-Buch-428;
Liedersammlung B = 131; Liedersammlung G = 265;
Gemeinschaftliche Liedersammlung = 18.

1. Ach bleib bei uns, Herr Jesu Christ,
   Weil es nun Abend worden ist;
   Dein göttlich Wort, das helle Licht,
   Laß ja bei uns auslöschen nicht.

2. In dieser letzt'n betrübten Zeit
   Verleih uns, Herr, Beständigkeit,
   Daß wir Dein Wort in Einigkeit
   Beleben recht in dieser Zeit.

3. Daß wir in guter, stiller Ruh
   Dies zeitlich Leben bringen zu:
   Und wenn das Leben neiget sich,
   Laß uns einschlafen seliglich.

Oh, Abide With Us, Lord Jesus Christ

1. Oh, abide with us, Lord Jesus Christ,
   Since evening has now come;
   Thy divine Word, that shining light,
   Let it not among us be extinguished.

2. In this last sorrowful age
   Grant us, Lord, steadfastness,
   That we Thy Word in unity
   May rightly live in this time.

3. That we in a good and quiet rest
   This earthly life may spend,
   And when this life draws to a close,
   Let us fall asleep blessedly.

Alle Christen Hören Gerne

Unpartheyisches Gesang-Buch = 303;
Liedersammlung B = 194; Liedersammlung G = 200;
Gemeinschaftliche Liedersammlung = 182.

1. Alle Christen hören gerne
   Von dem Reich der Herrlichkeit,
   Denn sie meinen schon von ferne,
   Daß es ihnen sei bereit't;
   Aber wenn sie hören sagen,
   Daß man Christi Kreuz muß tragen
   Wenn man will sein Jünger sein,
   O, so stimmen wenig ein.

2. Lieblich ist es anzuhören:
   Ihr Beladne, kommt zu mir;
   Aber das sind harte Lehren:
   Gehet ein zur engen Thür.
   Hört man Hosianna singen,
   Lautet's gut; läßt's aber klingen:
   Kreuz'ge! ist's ein andrer Ton,
   Und ein Jeder läuft davon.

3. Wenn der Herr zu Tische sitzet,
   Giebt Er da, was fröhlich macht;
   Wenn Er Blut am Oelberg schwitzet,
   So ist Niemand, der da wacht.
   Summa, Jesus wird gepreiset,
   Wenn Er uns mit Troste speiset;

All Christians Hear Gladly

1. All Christians hear gladly
     Of the kingdom of glory,
   For they envision from afar
     That for them it is prepared.
   But when they hear it being said
     That one must bear Christ's cross
   If one wishes to be His disciple,
     Oh, then only a few join in.

2. It is pleasant to be hearing,
     "You who are burdened, come to me."
   But these are hard teachings:
     "Enter in at the narrow gate."
   When one hears hosannas sung,
     How nice the sound; but let the cry be,
   "Crucify!"—that's a different note,
     And everyone walks away.

3. When the Lord sits at the table,
     He gives there what brings joy;
   When He sweats blood on Mount Olivet,
     There is no one who stays awake.
   In summary, Jesus is praised
     When He supplies us with comfort;

Aber wenn Er sich versteckt,
Wird man alsobald erschreckt.

4. Jesum nur alleine lieben,
   Darum weil Er Jesus ist,
   Dich um Ihn allein betrüben:
   Kannst du das, mein lieber Christ?
   Sollt auch Jesus von dir fliehen,
   Und dir allen Trost entziehen,
   Wolltest du doch sagen hier:
   Dennoch bleib ich stets an Dir!

But when He goes into hiding,
    Men are at once alarmed.

4. To love Jesus for no other reason
    Than because of Who He is,
And to let yourself grieve for Him alone—
    Can you do this, my dear Christian?
And though Jesus flees from you
    And withdraws from you all solace,
Are you willing still to say,
    "Nonetheless, by Thee I steadfastly
        abide!"

Bedenke, Mensch, Das Ende

Unpartheyisches Gesang-Buch = 404;
Liedersammlung B = 87; Liedersammlung C = 320;
Gemeinschaftliche Liedersammlung = 326.

1. Bedenke, Mensch, das Ende
   Bedenke deinen Tod.
   Der Tod kommt oft behende;
   Der heute frisch und roth,
   Kann morgen und geschwinder
   Hinweg gestorben sein;
   Drum bilde dir, o Sünder!
   Ein täglich Sterben ein.

2. Bedenke, Mensch! das Ende,
   Bedenke das Gericht;
   Es müssen alle Stände
   Vor Jesus Angesicht;
   Kein Mensch ist ausgenommen,
   Hier muß ein jeder dran,
   Und wird den Lohn bekommen,
   Nach dem er hat gethan.

3. Bedenke, Mensch! das Ende,
   Der Höllen Angst und Leid,
   Daß dich nicht Satan blende
   Mit seiner Eitelkeit:
   Hier ist ein kurzes Freuen,

Consider, Man, Life's Ending

1. Consider, man, [life's] ending,
        Consider thy death.
    Death often comes quickly;
        He who today is fresh and
            rosy-cheeked
    Can by tomorrow or even sooner
        Be snatched away by death;
    Therefore, imagine thyself, O sinner,
        As dying every day.

2. Consider, man, [life's] ending,
        Consider the Judgment;
    For all classes of men must
        Appear before Jesus' countenance:
    No person is to be excepted,
        Here each one must come,
    And will receive the reward
        According to what he has done.

3. Consider, man, [life's] ending,
        The anxiety and grief of hell,
    Lest Satan blind you
        With his vanity:
    Here but a fleeting pleasure,

Dort aber ewiglich
Ein kläglich Schmerzensschreien!
Ach Sünder! hüte dich.

4. Bedenke, Mensch! das Ende,
   Bedenke stets die Zeit,
   Daß dich ja nichts abwende
   Von jener Herrlichkeit,
   Damit vor Gottes Throne
   Die Seele wird verpflegt;
   Dort ist die Lebenskrone
   Den Frommen beigelegt,

5. Herr, lehre mich bedenken
   Der Zeiten letzte Zeit,
   Daß sich nach Dir zu lenken
   Mein Herze sei bereit;
   Laß mich den Tod betrachten,
   Und Deinen Richterstuhl:
   Laß mich auch nicht leicht achten
   Der Höllen Feuerpfuhl.

6. Hilf, Gott! daß ich in Zeiten
   Auf meinen letzten Tag
   Mit Buße mich bereiten
   Und täglich sterben mag:
   Im Tod und vor Gerichte
   Steh mir, o Jesu! bei,
   Daß ich in's Himmels Lichte
   Zu wohnen würdig sei.

But there eternally
  A plaintive anguish-crying!
O sinner, beware.

4. Consider, man, [life's] ending,
      Consider constantly the time,
    So that nothing turns you aside
      From that [coming] glory,
    With which before God's throne
      The soul will be provided;
    There is the crown of life
      Reserved for the godly.

5. Lord, teach me to consider
      The time of the last times,
    So that to turn to Thee
      My heart may be prepared;
    Let me meditate upon death
      And upon Thy Judgment Throne;
    Nor let me think lightly of
      The fiery pool of hell.

6. Help, God, that I may in time
      For my final day
    In repentance prepare myself
      And thus die daily;
    In death and at the Judgment,
      Oh, Jesus, stand by me,
    That I in heaven's glory
      To live may worthy be.

Das Wort Der Wahrheit, Jesu Christ

Ausbund = 359; Unparteyisches Gesang=Buch = 121;
Liedersammlung B = 232; Liedersammlung C = 234.

1.　Das Wort der Wahrheit, Jesu Christ,
　　Als selbst der Erstgeboren,
　　Der neuen Menschen Vater ist,
　　Das alt' Fleisch ist verloren;
　　Macht's neu durch's himmlisch Wasserbad,
　　Daß ihn'n die Sünde gar nicht schad't;
　　Thut die von neu'm gebären,
　　Im himmlischen Jerusalem,
　　Er zeugt Gott's Kinder angenehm,
　　Thut sie durch Sein'n Geist lehren.

2.　Der Schöpfer auch hie Vater heißt,
　　Durch Christum, Seinen Sohne;
　　Da wirket mit der heilig Geist,
　　Einiger Gott, drei Namen,
　　Von welchem kommt ein Gotteskind,
　　Gewaschen ganz rein von der Sünd,
　　Wird geistlich g'speist und g'tränket
　　Mit Christi Blut, Sein'n Willen thut,
　　Irdisch verschmäht aus ganzem Muth,
　　Der Vater sich ihm schenket.

Jesus Christ, The Word Of Truth

1. Jesus Christ, the Word of Truth,
        Himself as the firstborn,
    Is Father of the new man,
        The old flesh is lost,
    Makes it new through the heavenly washing
            of water
        So that sin does surely not harm him,
    Gives them a new birth
        In the heavenly Jerusalem,
    Makes the children of God acceptable,
        Teaching them through His spirit.

2. The Creator is also called Father,
        Through Christ His Son.
    The Holy Spirit working with them,
        One God, three names,
    From whom comes a child of God,
        Washed entirely clean from sin,
    Will be spiritually fed and given to drink
        Of Christ's blood, and does His will,
    Despised by the earthly with great boldness,
        The Father gives Himself to him.

3.   Wenn nun der Mensch geheiligt ist,
     Thut uns Sanct Paulus lehren,
     Im Namen und im Wesen Christ,
     Und im Geist unsers Herren;
     Sein Fleisch er dann auch zeigt und lehrt,
     Und alle Ding nach Christo kehrt,
     Mit Beten und mit Wachen,
     Sein Sünd beweint und wird ihr Feind,
     Mit Gott er sich herzlich vereint,
     Das sind des Geistes Sachen.

4.   Gehorsamlich der Mensch dann lebt
     In Gottes Furcht und Willen,
     Sein Herz stets nach dem Himmel strebt,
     Das G'setz thut er erfüllen.
     Er glaubt und liebt, Niemand betrübt,
     In Gottes Wort sich herzlich übt,
     Das ist sein Speis und Leben,
     Die christlich Zucht und Glaubensfrucht,
     Die Christus bei den Seinen sucht,
     Thut reichlich von sich geben.

3. When now the child is sanctified,
   As Saint Paul does teach us,
In the name and nature of Christ,
   And in the Spirit of our Lord,
His body then also subdues and teaches,
   And turns all things unto Christ,
With prayer and with watchfulness
   Lamenting his sin, and becomes its enemy.
With God he heartily unites himself,
   This causes all angels to rejoice.

4. Man then lives obediently
   In the fear and will of God,
His heart constantly strives toward Heaven,
   The law he does fulfill.
He believes and loves, grieving no one,
   Exercising himself heartily in God's Word,
This is his nourishment and life.
   Christian discipline and the fruit of faith,
Which Christ seeks among His own,
   He does richly give forth.

This translation is from *Songs of the Ausbund, Volume One*, 1998, pages 136-137; used by permission of Ohio Amish Library

Demuth Ist Die Schönste Tugend

Unpartheyisches Gesang-Buch-149; Liedersammlung B = 199;
Liedersammlung G = 104;
Gemeinschaftliche Liedersammlung = 81.

1. Demuth ist die schönste Tugend,
    Aller Christen Ruhm und Ehr,
    Denn sie zieret unsre Jugend
    Und das Alter noch viel mehr.
    Pflegen sie auch nicht zu loben,
    Die zu großem Glück erhoben;
    Sie ist mehr als Gold und Geld,
    Und was herrlich in der Welt.

2. Siehe, Jesus war demüthig,
    Er erhob sich selbsten nicht,
    Er war freundlich, lieblich, gütig,
    Wie uns Gottes Wort bericht't;
    Man befand in Seinem Leben
    Gar kein Prangen und Erheben,
    Drum spricht Er zu mir und dir:
    Lerne Demuth doch von mir.

3. Wer der Demuth ist beflissen
    Ist bei Jedermann beliebt;
    Wer da nichts will sein und wissen,
    Der ist's, dem Gott Ehre giebt,
    Demuth hat Gott stets gefallen,
    Sie gefällt auch denen allen,

Humility Is The Most Beautiful Virtue

1. Humility is the most beautiful virtue,
    The glory and honor of all Christians,
   For it is an adornment to our young people,
    And to the older people even more.
   To praise humility is not the custom
    Of those who are lifted up to great fortune;
   It is more than gold and money
    And what is glorious in the world.

2. Behold, Jesus was humble,
    He did not exalt Himself,
   He was friendly, loving, gracious,
    As God's Word informs us:
   In His life one did not find
    Any boasting or exalting at all,
   Therefore He says to me and to you,
    "Do but learn humility from me."

3. He who to humility is devoted,
    Is loved by everyone;
   He who has no desire to be great or learned,
    Is the one to whom God gives honor.
   Humility has always pleased God,
    And it is also pleasing to all

Die auf Gottes Wegen gehn
Und in Jesu Liebe stehn.

4. Demuth machet nicht verächtlich,
Wie die stolze Welt ausschreit,
Wenn sie frech und unbedächtlich
Die Demüthigen anspeit;
Stolze müssen selbst gestehen,
Wenn sie Fromme um sich sehen,
Daß doch Demuth edler ist,
Als ein frecher, stolzer Christ.

5. Demuth bringet großen Segen
Und erlanget Gottes Gnad,
An ihr ist gar viel gelegen,
Denn wer diese Tugend hat,
Der ist an der Seel geschmücket
Und in seinem Thun beglücket;
Er ist glücklich in der Zeit,
Selig auch in Ewigkeit.

6. Diese edle Demuthsgaben,
So da sind des Glaubens Frucht,
Wird ein jeder Christe haben,
Welcher sie von Herzen sucht.
Wo der Glaub wird angezündet,
Da ist Demuth auch gegründet;
Glaube, Hoffnung, Demuth, Lieb,
Kommt aus Gottes Geistestrieb.

Who walk in God's ways
    And abide in the love of Jesus.

4. Humility does not bring contempt
    As the proud world proclaims,
When it brazenly and without thinking
    Spits its [scorn] upon the humble;
The proud themselves must admit
    When they see devout people around them,
That humility is indeed nobler
    Than a bold and haughty Christian.

5. Humility brings great blessings
    And finds favor with God.
Very much depends upon it,
    For whoever has this virtue
Is adorned in his soul
    And blessed in his doings;
He is fortunate in this time,
    Blissful also in eternity.

6. These precious gifts of humility
    Which are the fruits of faith,
Each Christian will have
    Who seeks for them with his whole heart.
Wherever faith is kindled,
    There humility will also be established;
Faith, hope, humility, love,
    Come forth driven of God's Spirit.

Ermuntert Euch, Ihr Frommen

Unparteyisches Gesang-Buch = 323;
Liedersammlung B = 92; Liedersammlung C = 215;
Gemeinschaftliche Liedersammlung = 333.

1. Ermuntert euch, ihr Frommen!
   Zeigt eurer Lampen Schein,
   Der Abend ist gekommen,
   Die finstre Nacht bricht ein!
   Es hat sich aufgemachet
   Der Bräutigam mit Pracht,
   Auf! betet, kämpft und wachet,
   Bald ist es Mitternacht.

2. Macht eure Lampen fertig,
   Und füllet sie mit Oel,
   Seid nun des Heils gewärtig,
   Bereitet Leib und Seel.
   Die Wächter Zions schreien:
   Der Bräutigam ist nah,
   Begegnet Ihm in Reihen,
   Und singt Hallelujah!

3. Ihr klugen Jungfrau'n alle,
   Hebt nun das Haupt empor
   Mit Jauchzen und mit Schalle
   Zum frohen Engelchor.
   Die Thür ist aufgeschlossen,
   Die Hochzeit ist bereit;

Be Encouraged, You Pious Ones

1. Be encouraged, you pious ones!
        Display your lamp's gleam,
    The evening has come,
        The darkening night breaks in!
    There has gotten Himself ready
        The Bridegroom in rich array.
    Up! Pray, do battle, be awake,
        Soon it will be midnight.

2. See that your lamps are ready,
        And fill them with oil,
    Redemption now awaiting,
        Prepare body and soul.
    The watchmen of Zion are crying:
        "The bridegroom is near.
    Line up to go meet Him
        And sing hallelujah!"

3. You prudent virgins all,
        Lift now your heads aloft
    With shouting and with ringing
        To a joyous angel choir.
    The gate has been unlocked,
        The wedding is ready;

Auf, auf, ihr Reichsgenossen!
Der Bräut'gam ist nicht weit.

4. Er wird nicht lang verziehen,
   Drum schlaft nicht wieder ein;
   Man sieht die Bäume blühen,
   Der schöne Frühlingsschein
   Verheißt Erquickungszeiten;
   Die Abendröthe zeigt
   Den schönen Tag von weiten,
   Vor dem das Dunkle weicht.

Up, up, you citizens of the kingdom,
    The Bridegroom is not far off.

4.   He will not long delay,
    So do not fall asleep again;
One sees the trees blooming,
    The beautiful harbinger of spring
Promises a time of refreshing;
    The reddened skies of evening indicate
The beautiful day from afar
    Before which the darkness yields.

Es Sind Zween Weg In Dieser Zeit

Ausbund = 748; Liedersammlung B = 156;
Liedersammlung G = 151

1. Es sind zween Weg in dieser Zeit,
   Der ein ist schmal, der ander weit,
   Wer jetzt will gehn die schmale Bahn,
   Der wird veracht't von Jedermann.

2. Dies zeigt uns an des Herren Wort:
   Geht ein durch diese enge Pfort,
   Die Thür ist klein, wer will hinein,
   Der muß vor leiden große Pein.

3. Darnach hat er ewige Ruh,
   Darum, o Mensch, schick dich darzu,
   Willst du sein gleich in Gottes Reich,
   Mit allen Frommen ewiglich.

4. Da wird nichts sein nach dieser Zeit,
   Denn Fried und Freud in Ewigkeit,
   Die Frommen schon das werden hon,
   Die allzeit Gottes Willen thun.

5. Wer aber geht den breiten Weg,
   Dasselbig ist der Höllen Steg,
   Der ist verlor'n in Gottes Zorn,
   Wohl dem, der jetzt ist neugebor'n.

There Are Two Ways In This Time

1. There are two ways in this time,
    The one is narrow, the other broad,
    Who now would go the narrow road,
    He will be despised by everyone.

2. This God's Word points out to us:
    Go in through this narrow gate,
    The door is small. Whoever will enter,
    He must first suffer great pain.

3. Afterwards, he will have eternal rest,
    Therefore, O man, prepare yourself,
    If you would be equal in God's kingdom
    With all the righteous eternally.

4. There will be nothing after this time
    But peace and joy in eternity,
    The righteous already will have this
    Who at all times do God's will.

5. But whoever goes the broad way,
    The same is the path to hell,
    He is lost in God's wrath,
    Blessed is he who now is born anew.

6. Demselben hat Gott zubereit't
   Ein Kron, die bleibt in Ewigkeit,
   Sie wird nicht welk, darum, o Welt,
   Laß fahren alles Gut und Geld.

7. Und mach dich auf die schmale Bahn,
   Daß du erlangst die ewig Kron,
   Die Gott allein giebt Seiner G'mein,
   Die Er hat g'macht von Sünden rein.

8. Darum laß fahren alles Gut,
   Dein'n Geiz, hoch Pracht und Uebermuth,
   Kehr dich behend von aller Sünd,
   So wirst du g'zählt für Gottes Kind.

6. For these God has prepared
   A crown that will endure in eternity;
   It will not wilt, therefore, O world,
   Let banished be all goods and wealth.

7. And set out on the narrow road,
   That you may obtain the eternal crown
   Which God alone gives to His church,
   Which He has made pure from sin.

8. Therefore, let go of every treasure,
   Your greed, high pomp and arrogance,
   Turn quickly away from all sin,
   Then you will be counted as God's child.

Gelobt Sei Gott Im Höchsten Thron

Ausbund=712; Unpartheyisches Gesang=Buch = 125;
Liedersammlung B =26; Liedersammlung G = 213.

1. Gelobt sei Gott im höchsten Thron,
   Der uns hat auserkoren,
   Hat uns ein'n schönen Rock anthon,
   Daß wir sei'n neu geboren.

2. Das ist das recht hochzeitlich Kleid
   Damit Gott Sein Volk zieret,
   Die Hochzeit des Lamms ist schon b'reit,
   Die Frommen drauf zu führen.

3. Freut euch, ihr lieben Christen all,
   Daß euch Gott hat ang'nommen,
   Und euch bereit't ein'n schönen Saal,
   Darein wir sollen kommen.

4. Mit Ihm halten das Abendmahl,
   Welches Er hat bereitet
   Denen, die leiden viel Trübsal,
   Um Seinetwillen streiten.

5. Freu dich, Zion, du heil'ge G'mein,
   Dein Bräut'gam wird schier kommen,
   Der dich hat g'macht von Sünden rein,
   Das Reich hat Er schon g'nommen.

Praised Be God In The Highest Throne

1. Praised be God in the highest throne,
   Who has chosen us
   And clothed us with a beautiful coat,
   So that we are born anew.

2. This is the true wedding garment
   With which God adorns His people,
   The wedding of the Lamb is already
   prepared,
   To lead the righteous thereto.

3. Rejoice, all you beloved Christians,
   That God has received you
   And prepared for you a beautiful hall,
   Into which we shall come.

4. To keep with Him the Holy Supper,
   Which He has prepared
   For them that suffer much affliction,
   Striving for His sake.

5. Rejoice, Zion, thou holy Church,
   Your bridegroom is coming shortly,
   Who has made you pure from sin,
   The kingdom He has already received.

6. Die Stadt, die hat Er schon bereit't,
   Da du sollst sicher wohnen;
   Er giebt dir auch ein neues Kleid,
   Von reiner Seiden schone.

7. Die Seid ist die Rechtfertigkeit
   Der Heil'gen hie auf Erden;
   Welcher sich jetzt damit bekleid't,
   Der muß verachtet werden.

8. Selig ist, der da wachen thut,
   Und sich allzeit bereitet,
   Und hält die Seiden wohl in Hut,
   Damit Er ist bekleidet.

9. Welcher sich aber nicht bekleid't,
   Mit dieser reinen Seiden,
   Derselb versäumt ein große Freud,
   Ewig Pein muß er leiden.

10. Also hat unser König schon
    Ein Kleid mit Blut besprenget,
    Der uns aus Gnad hat g'nommen an,
    Drum woll'n wir Gott lobsingen.

6. The city He has already prepared,
   Where you shall live securely,
   He also gives you a new garment,
   Indeed of pure silk.

7. The silk is the justification
   Of the holy here on earth,
   Whoever now clothes himself with this,
   He must be despised.

8. Blessed is he that is watchful
   And always prepares himself,
   And keeps the silk well guarded
   With which he is clothed.

9. Whoever does not clothe himself
   With this pure silk,
   The same neglects a great joy,
   Eternal punishment he must suffer.

10. Thus our king already has
    A garment sprinkled with blood,
    Who through grace has received us,
    Therefore we will sing praises to God.

This translation is from *Songs of the Ausbund, Volume One*, 1998, pages 302-303; used by permission of Ohio Amish Library

Herr, Starker Gott, In's Himmels Thron

Ausbund = 393; Liedersammlung B = 59; Liedersammlung G = 117;

1. Herr, starker Gott, in's Himmels Thron!
   Ich bitt Dich durch Dein'n lieben Sohn,
   Hilf uns zu diesen Zeiten;
   Weil wir, Herr, stehn auf glattem Eis,
   Und um uns liegen ringesweis
   Die Feind auf allen Seiten!

2. Auf diesem Weg hab ich drei Feind,
   Die mir allzeit zuwider seind:
   Der Teufel und die Welte,
   Dazu mein eigen Fleisch und Blut.
   O Gott! halt mich in Deiner Hut,
   Ob mir ein Fuß entgleite.

Lord, Mighty God In Heaven's Throne

1. Lord, mighty God in heaven's throne,
   I beseech Thee through Thy beloved Son,
      Help us in these times;
   For we, Lord, stand on slippery ice
   And around us in a circle lie
      The enemies on every side!

2. Upon this way I have three foes
   Who are against me at all times:
      The devil and the world,
   Then also my own flesh and blood.
   Oh God! Keep me in Thy protection,
      Lest a foot of mine should slip.

Lebt Friedsam

Ausbund = 786; Unpartheyisches Gesang-Buch = 370;
Liedersammlung B = 95; Liedersammlung G = 276

1. Lebt friedsam, sprach Christus, der Herr,
   Zu Seinen Auserkornen,
   Geliebte, nehmt dies für ein' Lehr,
   Und wollt Sein Stimm gern hören.
   Das ist gesagt zu ein'm Abscheid
   Von mir, wollt fest drin stehen.
   Ob scheid ich gleich, bleibt's Herz bei euch,
   Bis wir zur Freud eingehen.

2. Ein Herzensweh mich überkam
   Im Scheiden über d'Maßen,
   Als ich von euch mein'n Abschied nahm,
   Und damals mußt verlassen.
   Mein'm Herzen bang, beharrlich lang,
   Es bleibt noch unvergessen.
   Ob scheid ich gleich, bleibt's Herz bei euch,
   Wie sollt ich euch vergessen!

9. Gelobt sei Gott um dies Sein Werk,
   Das Er kräftig gelenket,
   Geht ihr zu dem Gebete stärk,
   Dann meiner auch gedenket
   Im Beten rein, daß Gott allein
   Mich wolle wohl berathen.
   Ob scheid ich gleich, bleibt's Herz bei euch,
   Gott wohn euch bei in Gnaden.

Live Peaceably

1. Live peaceably, declared Christ the Lord
        To His chosen ones.
    Beloved, take this for an admonition
        And be willing to listen gladly to His voice.
    This is said as a parting
        From me, desire to stand steadfast therein.
    Though I depart, my heart remains with you,
        Until we enter into joy.

2. My heart was overcome with grief,
        In parting, beyond measure,
    As I took my departure from you,
        And at that time must take leave.
    My heart was unceasingly anxious,
        It remains unforgotten still.
    Though I depart, my heart remains with you.
        How could I forget you?

9. Praised be God because of this His work
        Which He has mightily directed.
    As you go into prayer fervently,
        Then also remember me
    In praying purely, that God alone
        Would counsel me well.
    Though I depart, my heart remains with you,
        God dwell with you in grace.

This translation is from *Songs of the Ausbund, Volume One*, 1998, papes 329-332; used by permission of Ohio Amish Library

Nun Danket Alle Gott

Unparteyisches Gesang=Buch = 365;

Liedersammlung B = 166; Liedersammlung G = 270;

Gemeinschaftliche Liedersammlung = 230

1. Nun danket Alle Gott
   Mit Herzen, Mund, und Händen,
   Der Große Dinge tut
   An uns und allen Enden,
   Der uns von Mutterleib
   Und Kindesbeinen an
   Unzählig viel zu Gut,
   Und noch jetzund getan.

2. Der ewig reiche Gott
   Woll uns bei unserm Leben
   Ein immer fröhlich Herz
   Und edlen Frieden geben,
   Und uns in Seiner Gnad
   Erhalten fort und fort,
   Und uns aus aller Not
   Erlösen hier und dort.

3. Lob, Ehr, und Preis sei Gott,
   Dem Vater und dem Sohne,
   Und Dem, der beiden gleich,
   Im hohen Himmelsthrone,
   Dem dreieinigen Gott,
   Als der im Anfang war,
   Und ist und bleiben wird
   Jetzund und immerdar.

Now Thank We All Our God

[Original German by Martin Rinckart, 1636
Translated by Catherine Winkworth, 1858]

1.   Now thank we all our God
     With heart and hands and voices,
     Who wondrous things hath done,
     In whom His world rejoices;
     Who, from our mothers' arms
     Hath blessed us on our way
     With countless gifts of love,
     And still is ours today.

2.   O may this bounteous God
     Through all our life be near us,
     With ever joyful hearts
     And blessed peace to cheer us
     And keep us in His grace,
     And guide us when perplexed,
     And free us from all ills
     In this world and the next.

3.   All praise and thanks to God,
     The Father, now is given,
     The Son, and Him who reigns
     With them in highest heaven,
     The one eternal God,
     Whom earth and heav'n adore;
     For thus it was, is now,
     And shall be evermore.

O Gott Vater, Wir Loben Dich

Ausbund = 770; Unpartheyisches Gesang=Buch = 3;
Liedersammlung B = 1; Liedersammlung C =1.

1. O Gott Vater, wir loben Dich,
   Und Deine Güte preisen,
   Daß Du Dich, o Herr, gnädiglich,
   An uns neu hast bewiesen,
   Und hast uns, Herr, zusammen g'führt,
   Uns zu ermahnen durch Dein Wort,
   Gieb uns Genad zu diesem.

2. Oeffne den Mund, Herr, Deiner Knecht,
   Gieb ihn'n Weisheit darneben,
   Daß sie Dein Wort mög'n sprechen recht,
   Was dient zum frommen Leben
   Und nützlich ist zu Deinem Preis,
   Gieb uns Hunger nach solcher Speis,
   Das ist unser Begehren.

3. Gieb unserm Herzen auch Verstand,
   Erleuchtung hie auf Erden,
   Daß Dein Wort in uns werd bekannt,
   Daß wir fromm mögen werden
   Und leben in Gerechtigkeit,
   Achten auf Dein Wort allezeit,
   So bleibt man unbetrogen.

O God, Father, We Praise Thee

1. O God, Father, we praise Thee
     And Thy goodness exalt,
   That Thou, O Lord, so graciously
     Hast revealed Thyself anew to us,
   And has led us together, Lord
     To admonish us through Thy Word;
     Give us grace to do this.

2. Open the mouth of Thy servants, Lord,
     Give them wisdom as well,
   That they may rightly speak Thy Word
     What is useful to a godly life
   And beneficial to Thy glory;
     Give us hunger for such food,
     This is our desire.

3. Give our hearts understanding also,
     Enlightenment here on earth,
   That Thy Word in us may be familiar
     That we may become godly
   And live in righteousness,
     Heeding Thy Word at all times,
     Thus one remains undeceived.

4. Dein, o Herr! ist das Reich allein
   Und auch die Macht zusammen;
   Wir loben Dich in der Gemein
   Und danken Deinem Namen,
   Und bitten Dich aus Herzensgrund,
   Wollst bei uns sein zu dieser Stund,
   Durch Jesum Christum. Amen.

So Will Ichs Aber Heben An

Ausbund = 378; Unpartheyisches Gesang=Buch = 135;
Liedersammlung B = 33; Liedersammlung G = 210

1. So will ichs aber heben an,
   Singen in Gottes Ehr,
   Daß man sich kehr auf rechte Bahn,
   Nach seinem Wort und Lehr,
   Ja nach dem Vorbild Jesu Christ,
   Der für uns dar ist geben,
   Kein König seines gleichen ist.

2. In die Welt hat Gott g'sendet
   Sein Wort und Menschheit klar,
   Auf Erd all'n Kummer wendet,
   Sie nehmen sein nicht wahr.
   Sie folgen seiner Lehr nicht nach,
   Darum sie müssen erscheinen
   Zum ewigen G'richt und Schmach.

4. Thine alone, O Lord, is the kingdom
        And also the power, together;
    We praise Thee in the assembly,
        And give thanks to Thy name,
    And beseech Thee from the depths of our
            hearts,
    [Thou] wouldst be with us during this
            hour,
        Through Jesus Christ, Amen.

So Will I Once More Begin To Sing

1. So will I once more begin
        To sing in God's honor,
    That man turn himself to the true path,
        According to His Word and teaching,
    Yes, after the example of Jesus Christ,
        Who for us is offered,
    No king is like unto him.

2. Into the world God has sent
        His Word clearly, in human form,
    Upon earth to change all sorrow,
        They did not perceive who He was,
    And followed not after His teaching,
        Therefore they must appear
    Unto eternal judgment and shame.

3.   Die sich zu diesem Herren
        Verpflichten sicherlich,
    Von Sünden sich bekehren,
        Zu Lob sein'm Königreich,
    Die sind das königlich Priesterthum,
        Sie suchen nicht ihre Ehre,
    Allein ihr's Königs Fromm.

4.   Er hat ein Weib genommen,
        Die Christlich Kirch im Geist,
    Die Liebe hat ihn drungen,
        Die er uns auch hat g'leist.
    Sein Leben hat er vor uns g'stellt,
        Die ihn auch also lieben,
    Sind ihm auch auserwählt.

5.   Sein Weib ist noch nicht alt genug,
        Bis an den jüngsten Tag.
    Versprochen war sie ihm die Klug,
        Da sie noch in der Erden lag.
    Sie ist im Geist und Fleisch sein Art,
        Ist ihm von Gott versehen,
    Eh der König gebohren ward.

6.   Er hat viel Gäst geladen
        Zu seinem Königreich,
    Und warnet sie vor Schaden,
        Daß niemand seh hinter sich
    Dann wer des Königs Beruff veracht,
        Solch G'ladne sind nicht werthe,
    Zu essen von seiner Tracht.

3. Those who to this Lord
      Pledge themselves securely
   And from sin turn away,
      To the praise of His kingdom,
   These are the royal priesthood,
      They seek not their own honor,
   Alone their King's holiness.

4. He has taken a wife,
      The Christian Church in the Spirit,
   Love has compelled Him,
      Which He also has shown to us.
   His life He has set before us,
      Those who also likewise love Him
   Are also chosen unto Him.

5. His wife is not yet old enough,
      Until the last day,
   She, the prudent, was promised unto Him
      While she yet is on the earth,
   In spirit and flesh she is His likeness,
      Provided for Him by God
   Before the King was born.

6. He has invited many guests
      Unto His kingdom,
   And warns them of harm,
      That no one look back,
   For those who despise the King's calling,
      Such invited ones are not worthy
   To eat of His provisions.

7.   Er spricht, viel sind beruffen,
      Und wenig auserwählt,
   Sein Stimm hond sie verschlafen,
      Da er sie hat all zählt.
   Darum allein die Schuld ist ihr,
      Er hat ihn angeklopfet,
   Geruffen vor ihrer Thür.

26.   Dann werden sich die Frommen
      Freuen in Gerechtigkeit,
   Daß ihre Zeit ist kommen,
      Der Bräutigam sich erfreut,
   Der ihn'n allzeit das Feld gewinnt,
      Ihm sag ich Lob in Ewigkeit,
   Dem ich all Ehre günd.

Spar deine Buße Nicht

Unpartheyisches Gesang-Buch = 420;
Liedersammlung B = 170; Liedersammlung C = 362;105
Gemeinschaftliche Liedersammlung = 73.

1.   Spar deine Buße nicht
   Von einem Jahr zum andern,
   Du weißt nicht, wann du mußt
   Aus dieser Welt weg wandern;
   Du mußt nach deinen Tod
   Vor Gottes Angesicht,
   Ach! denke fleißig dran;
   Spar deine Buße nicht!

7. He says: many are called,
   But few are chosen,
His voice they missed through slumber,
   When He did reckon them all,
Therefore the blame is theirs alone,
   He did knock for them,
Calling before their door.

26. Then will the pious
    Rejoice in righteousness,
That their time has come.
    The bridegroom rejoices,
Who always gains the field for them,
    To Him I give praise in eternity,
To whom I give all honor.

This translation is from *Songs of the Ausbund, Volume One*, 1998, pages 141-147; used by permission of Ohio Amish Library

Spare Not Your Repentance

1. Spare not your repentance
   From one year to another,
You know not when you must
   From this world take your departure;
You must after your death
   Come before God's presence,
Oh, consider it earnestly:
   Spare not your repentance!

2.   Spar deine Buße nicht,
    Bis daß du alt wirst werden;
    Du weißt nicht Zeit und Stund,
    Wie lang du lebst auf Erden:
    Wie bald verlöschet doch
    Der Menschen Lebenslicht!
    Wie bald ist es gescheh'n!
    Spar deine Buße nicht!

3.   Spar deine Buße nicht
    Bis auf das Todtenbette;
    Zerreiße doch in Zeit
    Die starke Sündenkette.
    Denk an die Todesangst,
    Wie da das Herze bricht,
    Mach dich von Sünden los;
    Spar deine Buße nicht!

4.   Spar deine Buße nicht,
    Weil du bist jung von Jahren,
    Da du erst Lust und Freud
    Wirst in der Welt erfahren;
    Die Jungen sterben auch,
    Und müssen vor's Gericht:
    Drum ändre dich bei Zeit;
    Spar deine Buße nicht!

2. Spare not your repentance
  Until you become old;
You do not know the time and hour,
  How long you will live upon earth:
How quickly indeed dies out
  The light of a person's life!
How swiftly it occurs!
  Spare not your repentance!

3. Spare not your repentance
  Until you are on your deathbed;
Oh, rend apart while there is time
  The powerful chains of sin.
Think of death's anguish
  How then the heart is broken,
Free yourself from sin;
  Spare not your repentance.

4. Spare not your repentance,
  Because you're young in years,
When you first joy and pleasure
  In this world would experience;
The young die, too,
  And must come before the judgment:
So amend yourself in time;
  Spare not your repentance.

5. Spar deine Buße nicht,
   Dein Leben wird sich enden;
   Drum laß den Satan doch
   Dich nicht so gar verblenden;
   Denn wer da in der Welt
   Viel Böses angericht't,
   Der muß zur Höllen gehn;
   Spar deine Buße nicht!

6. Spar deine Buße nicht,
   Dieweil du noch kannst beten,
   So laß nicht ab vor Gott
   In wahrer Buß zu treten;
   Bereue deine Sünd;
   Wenn dieses nicht geschicht,
   Weh deiner armen Seel!
   Spar deine Buße nicht!

7. Spar deine Buße nicht;
   Ach! ändre heut dein Leben,
   Und sprich: ich hab mein Herz
   Nun meinem Gott gegeben,
   Ich setz auf Jesum Christ
   All meine Zuversicht!
   So wirst du selig sein;
   Spar dein Buße nicht!

5.   Spare not your repentance,
       Your life will come to an end;
So do not let Satan still
       So absolutely blind you;
For he who in this world
       Causes great evil,
Must go to hell;
       Spare not your repentance.

6.   Spare not your repentance
       While you are still able to pray,
So do not cease before God
       In true repentance to come;
Be sorry for your sins;
       If this does not take place,
Woe to your poor soul!
       Spare not your repentance.

7.   Spare not your repentance;
       Oh, amend today your life,
And say, "I my heart have
       Now given to my God.
I place upon Jesus Christ
       All my confidence!"
Then you will be blessed;
       Spare not your repentance.

Teure Kinder, Liebt Einander

Liederſammlung G = 400

1.   Teure Kinder, liebt einander,
      So wie Jeſus uns geliebt,
      Der für uns ſich ſelbſt gegeben,
      Nie ein Kindlein hat betrübt!

2.   Teure Kinder, liebt einander,
      Es iſt göttlich, ſchön und gut;
      Gott iſt unſer Aller Vater,
      Und wir ſind ein Fleiſch und Blut!

3.   Teure Kinder, liebt einander,
      Wollt ihr gleich den Engeln ſein;
      Engel lieben ja einander,
      Lieben herzlich, himmliſch, rein!

4.   Teure Kinder, liebt einander!
      Liebe iſt die Seligkeit;
      Liebe deckt der Sünden Menge
      Und verſüßet alles Leid!

Dear Children, Love One Another

1.   Dear children, love one another
      Just as Jesus loved us,
Who gave Himself for us,
      Never a child has grieved.

2.   Dear children, love one another,
      This is godly, fine, and good.
God is the Father of us all,
      And we are one flesh and blood.

3.   Dear children, love one another
      If you would be like the angels;
Angels indeed love each other,
      Loving heartily, heavenly, pure.

4.   Dear children, love one another!
      Love is salvation bliss;
Love covers the multitude of sins
      And sweetens all suffering.

Viel Strenger Muß Man Streiten

Ausbund = 115; Liedersammlung G = 138

4.   Viel strenger muß man streiten,
     Und vorsichtiger sein,
     Denn in vorigen Zeiten,
     Sagt er ihn'n allgemein,
     Darum soll man sich üben
     Täglich in Christi Lehr,
     Einander herzlich lieben,
     Wandeln in Zucht und Ehr.

5.   Und oft zusammen kommen,
     Reden von g'meinen Heil,
     Als es zusteht den Frommen,
     Deren Gott ist ihr Theil,
     Daß sie einander lehren
     Ein'n guten Unterscheid,
     Daß man sich soll bekehren
     Von Sünden und Bosheit.

More Rigorously Must One Strive

4.   More rigorously must one strive
          And be more cautious
      Than in former times,
          He said to them in general,
      Therefore shall man exercise himself
          Daily in Christ's teachings,
      Loving each other heartily,
          Living in discipline and honor.

5.   And often meeting together,
          Speaking of the common salvation,
      As befits the godly
          Who have God as their portion,
      That they should teach each other
          A proper discernment,
      That man should become converted
          From sin and evil.

Wer Weiß Wie Nahe Mir Mein Ende

Unparteyisches Gesang-Buch = 442;
Liedersammlung B = 220; Liedersammlung G = 301;
Gemeinschaftliche Liedersammlung = 322.

1. Wer weiß, wie nahe mir mein Ende?
    Die Zeit geht hin, es kommt der Tod;
    Ach, wie geschwinde und behende
    Kann kommen meine Todesnoth,
    Mein Gott! ich bitt durch Christi Blut,
    Mach's nur mit meinem Ende gut.

2. Es kann vor Nacht leicht anders werden,
    Als es am frühen Morgen war;
    Denn weil ich leb auf dieser Erden,
    Leb ich in steter Tod'sgefahr.
    Mein Gott! ich bitt durch Christi Blut,
    Mach's nur mit meinem Ende gut!

3. Herr! lehr mich stets an's Ende denken,
    Und laß mich, wenn ich sterben muß,
    Die Seel in Jesu Wunden senken,
    Und ja nicht sparen meine Buß.
    Mein Gott! ich bitt durch Christi Blut,
    Mach's nur mit meinem Ende gut!

Who Knows How Near My End May Be?

1. Who knows how near my end may be?
   The time goes by, and death draws near.
   Oh, how swiftly and abruptly
   Can come the peril of death.
   My God, I plead by Jesus' blood,
   Grant but that my end may be good.

2. Before night it can easily be different
   Than it was in early morning,
   For while I live upon this earth,
   I live in constant danger of dying.
   My God, I plead by Jesus' blood,
   Grant but that my end may be good.

3. Lord, teach me to think always of the end,
   And let me when I must die,
   Submerge the soul in Jesus' wounds,
   And by no means spare my repentance.
   My God, I plead by Jesus' blood,
   Grant but that my end may be good.

4. Laß mich bei Zeit mein Haus bestellen,
    Daß ich bereit sei für und für,
    Und sage frisch in allen Fällen:
    Herr! wie du willst, so schick's mit mir.
    Mein Gott! ich bitt durch Christi Blut,
    Mach's nur mit meinem Ende gut!

5. Mach mir stets zuckersüß den Himmel,
    Und gallenbitter diese Welt:
    Gieb, daß mir in dem Weltgetümmel
    Die Ewigkeit sei vorgestellt.
    Mein Gott! ich bitt durch Christi Blut,
    Mach's nur mit meinem Ende gut!

Wohlauf, Wohlauf, Du Gottesg'mein

Ausbund = 508; Unpartheyisches Gesang=Buch =133;
Liedersammlung B = 254; Liedersammlung C = 212.

1. Wohlauf, wohlauf, du Gottesg'mein!
    Heilig und rein,
    In diesen letzten Zeiten,
    Die du ein'm Mann erwählet bist,
    Heißt Jesu Christ,
    Thu dich Ihm zubereiten.
    Leg an dein Zier, denn Er kommt schier,
    Darum bereit das Hochzeitskleid,
    Denn Er wird schon die Hochzeit hon,
    Dich ewig nicht mehr von Ihm lo'n.

4. Let me in time my house set in order,
     That I may ever be prepared,
   And eagerly say in every circumstance,
     "Lord, as Thou wilt, so let it be to me."
   My God, I plead by Jesus' blood,
     Grant but that my end may be good.

5. Make heaven to me be always sweet as
           sugar,
     And this world as bitter as gall,
   Give that mid this world's tumult,
     Eternity may be in my thoughts.
   My God, I plead by Jesus' blood,
     Grant but that my end may be good.

Take Heart, Take Heart, You Church Of God

1. Take heart, take heart, you church of God,
     Holy and pure,
   In these last times,
     You who have been chosen for a
           Bridegroom
   Named Jesus Christ,
     Do prepare yourself for Him.
   Lay on your adornment for He is about to
           come,
   Therefore prepare the wedding garb
     For He will assuredly have the wedding,
   Not letting you be parted from Him
           eternally.

2.   Das Kleid, davon gemeldet ist
In dieser Frist,
Soll heilig sein und reine.
Soll weder Fleck noch Runzel hon,
Sollst du verstohn.
So will Gott hon ein G'meine.
Darum Er hat g'geben in'n Tod
Sein liebes Kind, für deine Sünd.
Aus lauter Gnad, dein Missethat
Dir Gott, dein Herr, vergeben hat.

3.   So nun dein Sünd vergeben ist
Durch Jesum Christ,
Hat dich Gott neugeboren
Im Tauf durch den heiligen Geist,
Daß du nun heißt
Ein Braut Christi erkoren.
Halt dich allein des Mannes dein,
Sei ihm bereit zu aller Zeit,
Kein'n ander Mann sollst nehmen an,
Dich sein alleinig halten thun.

2. The garb which is here mentioned,
   In this appointed time
Shall be holy and pure,
   Shall have no spot nor wrinkle,
You shall understand.
   Such a church God would have,
Therefore He has given over to death
   His beloved Son, for your sin,
Out of pure grace, your transgression
   God your Lord has forgiven you.

3. If now your sin has been forgiven
   Through Jesus Christ,
God has given you new birth
   In baptism through the Holy Spirit,
That now you are called
   A chosen bride of Christ.
Keep yourself solely for your bridegroom,
   Be ready for Him at all times,
No other man take to yourself,
   Keep yourself exclusively for Him.

Abschrift von der Taufe.

[Old Order Amish, Ohio, Indiana, etc.]

1) Könnet ihr auch mit dem Kämmerer bekennen:
Ja ich glaub daß Jesus Christus Gottes Sohn ist.
Antwort: Ja ich glaub daß Jesus Christus Gottes Sohn
ist.

2) Erkennet ihr es auch für eine christliche Ordnung,
Kirche und Gemeinde Gottes worunter ihr euch jetzt
begebet? Antwort: Ja.

3) Saget ihr auch ab der Welt, dem Teufel sammt
seinem inweisenden Wesen, wie auch euren eigenen Fleisch
und Blut, und begehret Jesum Christum allein zu dienen,
der am Stamme des Kreuzes für euch gestorben ist?
Antwort: Ja.

4) Versprechet ihr auch vor Gott und seiner Gemeinde
daß ihr diese Ordnung wollet helfen handhaben mit des
Herrn Hilf, der Gemeinde fleißig beiwohnen und helfen
raten und arbeiten und nicht davon abweichen, es gelte
euch zum Leben oder zum Sterben? Antwort: Ja.

Dann das Gebet, die Täufling knieend und die Glieder
stehend.

A Copy Concerning Baptism

[Old Order Amish, Ohio, Indiana, etc.]

1) Can you also confess with the eunuch: Yes, I believe that Jesus Christ is the Son of God.

Answer: Yes, I believe that Jesus Christ is the Son of God.

2) Do you also recognize this to be a Christian order, church and fellowship under which you now submit yourselves?

Answer: Yes.

3) Do you renounce the world, the devil with all his subtle ways, as well as your own flesh and blood, and desire to serve Jesus Christ alone, who died on the cross for you?

Answer: Yes.

4) Do you also promise before God and His church that you will support these teachings and regulations [Ordnung] with the Lord's help, faithfully attend the services of the church and help to counsel and work in it, and not to forsake it, whether it leads you to life or to death?

Answer: Yes.

Then the prayer, with the applicants kneeling and the members standing.

Dann wird die Taufe bedient: Auf deinen Glauben den du bekennt hast vor Gott und viele Zeugen wirst du getauft im Namen des Vaters, des Sohnes und des Heiligen Geistes, Amen.

Alsdann werden sie aufgenommen: Im Namen des Herrn und der Gemein wird dir die Hand geboten, stehet auf. Hand und Kuß, mit wünschen Gottes Segen. Und daß sie nun nicht mehr Gäste und Fremdlinge sind, sondern Bürger mit den Heiligen und Gottes Hausgenossen.

Von Der Taufe

[Old Order Amish, Lancaster County,
Pennsylvania, etc.]

1) Könnet ihr absagen dem Teufel, der Welt, und eurem eignen Fleisch und Blut? Antwort: Ja.

2) Könnet ihr Christo und seiner Gemeinde zusagen, dabei zu bleiben, zu leben und zu sterben? Antwort: Ja.

3) Und in aller Ordnung der Gemein nach des Herrn Wort gehorsam und untertan zu sein und dazu helfen? Antwort: Ja.

Then the baptism is administered: Upon your faith which you have confessed before God and many witnesses, you are baptized in the name of the Father, the Son, and the Holy Spirit, Amen.

Thereupon they are taken up: In the name of the Lord and the church, my hand is extended to you, stand up. Handshake and holy kiss and God's blessings wished. And that they are no longer strangers and foreigners, but fellow citizens with the saints and of the household of God.

With Regard To Baptism

[Old Order Amish, Lancaster County, Pennsylvania, etc.]

1) Can you renounce the devil, the world, and your own flesh and blood? Answer: Yes.

2) Can you commit yourself to Christ and His church, to abide by it and therein to live and to die? Answer: Yes.

3) And in all the order [Ordnung] of the church, according to the Word of the Lord, to be obedient and submissive to it and to help therein? Answer: Yes.

Dann folgt das Bekenntnis des Glaubens, nämlich, "Ich glaub daß Jesus Christus Gottes Sohn ist," wie der Kämmerer getan hat, dann wird noch mit ihnen gebetet daß sie doch Gott all würdig wolle machen, daß sein hochwürdiger großer Namen nicht mißbraucht werde und er sie aus Gnaden wolle als Erben annehmen in seinen ewigen Reich. Dann wird die Tauf vollzogen auf dieser Art.

Ein bestätigter Diener hält seine beide Hände auf dem Täufling seinem Haupt und spricht in dem, (ein Armendiener oder ein Diener zum Buch das Wasser giesst) (Hier wird der Namen des Person genennt.)

Auf deinem bekannten Glauben wirst du getauft im Namen des Vaters und des Sohnes und des Heiligen Geistes, Amen. Wer glaubt und getauft wird soll selig werden.

Dann werden sie aufgenommen mit Hand und Kuß im Namen des Herrn und der Gemein, und vermahnt getreue Glieder zu sein in der Gemein.

Taufe Fragen

[Old Order Amish, Somerset County,
Pennsylvania]

1) Glaubet und bekennet ihr daß Jesus Christus Gottes Sohn ist?

Then follows the confession of faith, namely, "I believe that Jesus Christ is the Son of God," in the same way as the eunuch did, then there is yet a prayer with them that God might make them all worthy, and that He would through grace accept them as heirs in His eternal kingdom. Then the baptism takes place in this manner:

A bishop holds both his hands upon the head of the candidate for baptism, and says . . . (A deacon or a minister pours the water) (Here the name of the person is spoken) . . .

Upon your confessed faith you are baptized in the name of the Father and the Son and the Holy Spirit, Amen. Whoever believes and is baptized shall be saved.

Then they are taken up with hand and kiss in the name of the Lord and the church, and admonished to be faithful members in the church.

Questions At Baptism

[Old Order Amish, Somerset County, Pennsylvania]

1) Do you believe and confess that Jesus Christ is God's Son?

2) Glaubet und hoffet ihr daß ihr euch zu einer Christlichen Gemeinde des Herrn stellet und versprechet Gott und der Gemeinde gehorsame?

3) Saget ihr ab dem Teufel, der Welt, und der Lüstigkeit eures Fleisches, und saget Christo und seiner Gemeinde zu?

4) Versprechet ihr die Ordnung in der Gemeinde (des Herrn) zu beleben und helfen handhaben nach Christi Wort und Lehr, und bei der angenommenen Wahrheit zu bleiben, dabei zu leben und dabei zu sterben mit der Hilfe des Herrn?

Fragen An Der Taufe

[Old Order Amish, Allen and Adams Counties, Indiana, etc.]

1) Erkennet ihr das für eine Christliche Ordnung, Kirche, und Gemeine Gottes worunter ihr euch jetzt begebet? Antwort: Ja.

2) Glaubet ihr auch daß Jesus Christus eine seligmachender Lehr vom Himmel herab gebracht hat? Antwort: Ja.

3) So saget ihr auch ab allen was diese seligmachende Lehr zuwider ist, samt die Welt, der Teufel und all sein anweisendes Wesen, wie auch eure eigenen Fleisch und Blut? Antwort: Ja.

2) Do you believe and trust that you are uniting with a Christian church of the Lord, and do you promise obedience to God and the church?

3) Do you renounce the devil, the world, and the lustfulness of your flesh, and commit yourself to Christ and His church?

4) Do you promise to live by the standards [Ordnung] of the church (of the Lord) and to help administer them according to Christ's Word and teaching, and to abide by the truth you have accepted, thereby to live and thereby to die with the help of the Lord?

Questions At Baptism

[Old Order Amish, Allen and Adams Counties, Indiana]

1) Do you recognize this for a Christian order, church, and fellowship under which you now submit yourselves? Answer: Yes.

2) Do you also believe that Jesus Christ brought the doctrine of salvation down from heaven? Answer: Yes.

3) So do you renounce all that is opposed to this doctrine of salvation, along with the world, the devil and all his cunning ways, as well as your own flesh and blood? Answer: Yes.

4) Versprechet ihr auch Christo Jesu allein zu dienen der für uns am Stamme des Kreuzes gestorben, und auferstanden ist? Antwort: Ja.

5) So versprechet ihr auch das ihr diese Ordnung wollet helfen handhaben, darinnen raten und arbeiten? Antwort: Ja.

6) So versprechet ihr auch daß ihr in diese seligmachender Lehr wollet bleiben, es gelte zum leben oder zum sterben, und nicht davon abweichen weder zur rechten noch zur linken? Antwort: Ja.

7) So versprechet ihr auch Gott und seiner Gemeinde gehorsam zu sein? Antwort: Ja.

8) So ihr jetzt von ganzem Herzen glaubet, so mag es wohl sein. Antwort: Ja, ich glaube daß Jesus Christus Gottes Sohn ist.

9) Was folgt auf solchem Glauben? Antwort: Die heilige Tauf und das Abendmahl.

Von Der Taufe

[Old Order Amish, Milverton, Ontario area]

Danach wird gefragt: Ist es denn jetzt euer herzliches Begehren die heilige Taufe zu empfangen, und glaubet ihr dann geschickt und bereit zu sein? Antwort, Ja.

4) Do you also promise to serve Jesus Christ alone, who died for us on the cross, and rose again from the dead? Answer: Yes.

5) So do you also promise that you will help support this order [Ordnung], therein to counsel and labor? Answer: Yes.

6) So do you also promise that you will remain true to this saving doctrine, whether it lead to life or to death, and to not depart from it, to the right or to the left? Answer: Yes.

7) So do you also promise to be obedient to God and His church? Answer: Yes.

8) If you now believe from your whole heart, it may well be so. Answer: Yes, I believe that Jesus Christ is the Son of God.

9) What follows upon such faith? Answer: Holy baptism and Communion.

Concerning Baptism

[Old Order Amish, Milverton, Ontario]

Then it is asked, "Is it therefore your heartfelt desire to now receive holy baptism, and do you believe you are prepared and ready for it?" Answer: "Yes."

Danach heißet man sie in Gottes Namen niederknien, dann spricht man dieses: Knieen soll nicht vor mir, sondern vor dem Allerhöchsten und allwissenden Gott und Seiner Gemeinde geschehen. Alsdann werden sie nochmals gefragt:

Glaubet ihr dann jetzt, daß Jesus Christus Gottes Sohn ist, der in die Welt gekommen ist um die Bußfertigen Sünder selig zu machen? (Antwort, Ja.)

Darnach werden sie gefragt:

Könnet ihr dann auch mit der Hilfe und Gnade Gottes absagen der Welt, dem Teufel, eurem eigenen Fleisch und Blut und allein Gott und seiner Gemeinde gehorsam sein? (Antwort, Ja.)

Alsdann wird die Taufe vollzogen nach der Vorschrift des heiligen Evangeliums. Wenn die Taufe vollzogen ist, so giebt man jedem Täufling die Hand einer nach dem andern, richtet sie auf und spricht:

Der liebe Gott wolle das gute Werk, welches Er in dir hat angefangen, auch in dir helfen vollführen und darinnen stärken und trösten, bis zu einem seligen Ende, durch Jesum Christum, Amen.

Then they are bidden to kneel down in God's name, and it is said to them, "The kneeling down shall not be to me, but shall take place before the Most High and all-knowing God and His church." After this they are asked:

Do you therefore now believe that Jesus Christ is the Son of God who came into the world to save repentant sinners? (Answer: Yes.)

Then they are asked:

Can you then also, with the help and grace of God, renounce the world, the devil, your own flesh and blood, and be obedient to God and His church alone? (Answer: Yes.)

Thereupon the baptism is carried out according to the instructions of the holy gospel. When the baptism has been completed, the bishop extends a hand to each one in turn, raises them up and says:

May the dear God who has begun the good work in you, also help you to complete it, and strengthen and comfort you in it unto a blessed end, through Jesus Christ. Amen.

Formular Zur Taufhandlung

[Old Order Mennonites, Ontario, etc.]

Der bestätigte Prediger legt die Täuflinge folgende Fragen vor:

1) Erstens frage ich euch: Ob ihr an den allmächtigen Gott glaubet, der Himmel und Erde erschaffen hat; und an Jesum Christum, den eingebornen Sohn Gottes; daß er der rechte Erlöser und Seligmacher ist, der am Kreuz für uns gestorben ist; und an einen Heiligen Geist, der vom Vater und Sohn ausgehet, und uns in alle Wahrheit leitet? Wenn ihr das tut, so antwortet mit Ja.

2) Zweitens frage ich euch: Ob euch eure Sünden, die ihr begangen habt, von Herzen leid sind, und ihr eurem eigenen Willen und allen finstern, satanischen Werken absaget? Wenn dem so ist, so antwortet mit Ja.

3) Drittens frage ich euch: Ob ihr versprechet, durch Gottes Gnade und dessen Beistand der Lehre Jesu Christi treu und gehorsam zu folgen bis in den Tod? Wenn ihr es wollt, so antwortet mit Ja.

Dann kniet der Prediger mit den Täuflingen nieder und betet laut. Nachdem das Gebet beendet, stehet der Prediger auf, die Täuflinge aber bleiben auf den Knieen, ein Almosenpfleger kommt mit dem Wasser und stehet zur rechten Hand des Predigers; dieser tritt dann zuerst

Formulary At Baptism

[Old Order Mennonites in Ontario, etc.]

The confirmed minister [bishop] asks the following questions of the persons to be baptized:

1) First I ask you if you believe in the Almighty God, who created heaven and earth; and in Jesus Christ, the only-begotten Son of God, that He is the true Redeemer and Saviour who died on the cross for us; and in a Holy Spirit which proceedeth from the Father and the Son, and leads us in all truth? If you believe this, you may answer with, "Yes."

2) Secondly, I ask you if from your heart you are sorry for the sins you have committed, and if you renounce your own will and all the dark works of Satan. If this is so, you may answer with, "Yes."

3) Thirdly, I ask you if you promise, by God's grace and His assistance, to follow the teachings of Jesus Christ faithfully and obediently unto death. If this is your wish, you may answer with, "Yes."

Then the minister kneels with those awaiting baptism and prays audibly. After the prayer is ended, the minister rises but those receiving baptism remain kneeling, a deacon comes with water and stands at the right hand of the minister,

vor die männlichen Täuflinge, legt seine beiden Hände auf das Haupt des Täuflings und spricht:

Auf das Bekenntnis deine Glaubens, Reue und Leid deiner Sünden wirst du getauft mit Wasser im Namen des Vaters, und des Sohnes, und des Heiligen Geistes.

Ist auf diese Weise die Taufe an allen Täuflingen vollzogen, so kehrt der Prediger zu dem ersten zurück, reicht ihm die Hand zum Aufstehen, und spricht zu ihm:

Im Namen der Gemeine biete ich dir die Hand, und richte dich auf zu einem neuen Anfang; der Herr wolle dich versetzen aus deinem Sündenstand in die Gerechtigkeit seines Reiches; sei jetzt willkommen als ein Bruder der Gemeine.

Dann gibt er ihm den Kuß des Friedens. Auf diese Weise werden auch die weiblichen Täuflinge aufgerichtet, wo die Frau eines Predigers oder Almosenpflegers bei dem Prediger stehet und jeder Aufgerichteten den Kuß des Friedens gibt, und sie willkommen heißet als eine Schwester der Gemein.

From Kurzgefaßte Kirchen-Geschichte und Glaubenslehre by Benjamin Eby (1785-1853), originally published in 1841; 1983 reprint, pages 191-196.

who then approaches the male applicants first, laying both his hands on the head of the person, and says:

"Upon the confession of your faith, the repentance and sorrow for your sins, you are baptized with water in the name of the Father, and the Son, and the Holy Spirit."

When in this manner the baptism of all the applicants is completed, the minister returns to the first, extends his hand to him to arise, and says to him:

"In the name of the church, I offer my hand to you, to raise you up to a new beginning; may the Lord transfer you out of your sinful condition into the righteousness of His kingdom; be welcomed now as a brother of the church."

Then he gives him the kiss of peace. In this manner the female converts are also raised up, except the wife of a minister or of a deacon stands beside the minister, and greets each one, as she is raised, with the kiss of peace and bids her welcome as a sister of the church.

Von Der Taufe

[Old Order Mennonites, Pennsylvania, etc.]

So lasset euch im Namen Jesu auf euren Knieen.

So sollet ihr am ersten gefragt sein ob ihr glaubet an den allmächtigen Gott und Vater, Schöpfer Himmels und der Erde, der den kläglichen Sündenfall der Menschen so zu Herzen genommen hat daß er schon in frühern Zeiten versprochen hat sein eingebornen Sohn zu senden als Mittler und Erlöser; und ob ihr glaubet daß Jesus Christus sei der eingebornen Sohn Gottes, der sei unser Mittler, Erlöser und Heiland, der in der erfüllten Zeiten nach der Propheten Weissagungen, empfangen war vom Heiligen Geist, geboren durch die Jungfrau Maria, gelitten unter Pontus Pilatus, an Kreuz genagelt war, und gestorben am Stamme des Kreuzes, in einen neuen felsenes Grab begraben, und am dritten Tag siegreich auferstanden, und in vierzig Tag gen Himmel gefahren, sitzet zu der rechten Hand der Kraft Gottes, von dannen Er kommen wird mit viele tausend heilige Engel, zu richten die Lebendigen und die Toten. Und ob ihr glaubet an den Heiligen Geist, der ausgeht vom Vater und den Sohn und strafet die Welt um die Sünde mit ein gerechtes Gericht. So glaubet ihr an Gott den Vater, Sohn Jesus Christus, und den Heiligen Geist, der sei der einige,

Concerning Baptism

[Old Order Mennonites, Pennsylvania, etc.]

So in the name of Jesus you may let yourself down upon your knees.

So you will be asked first if you believe in the almighty God and Father, Creator of heaven and earth, who took man's lamentable fall into sin so seriously to heart that even in ages past He promised to send His only begotten Son as mediator and redeemer; and if you believe that Jesus Christ is the only begotten Son of God, who is our Mediator, Redeemer, and Saviour, who in the fullness of time according to the predictions of the prophets, was conceived of the Holy Spirit, born of the virgin Mary, suffered under Pontius Pilate, was nailed to the cross and died on that tree of the cross, was laid in a new tomb of rock, and on the third day arose victoriously from the dead, and after forty days ascended to heaven, sitting at the right hand of the power of God, from whence He will come again with many thousands of holy angels, to judge the living and the dead. And do you believe in the Holy Spirit who proceeds from the Father and the Son and reproves the world because of sin with a righteous judgment? And so do you believe in God the Father, Son Jesus Christ, and the Holy Spirit as the only, eternal, and

ewige, und allmächtige Gott in dessen Namen ihr begehret getauft zu sein mit Wasser.

Könnet ihr das mit Ja antworten?

2) Der Heiland spricht (6 Matthäus) daß niemand kann zwei Herren dienen; entweder wird er den einen hassen und den andern lieben, oder er wird den einen anhangen und den andern verachten. So sollet ihr gefragt werden ob ihr willig sind der Satan und sein ganzen Anhang und finsteres Reich und betrügliche Reichtum von dieser Welt, dazu eure eigene böse Willen, Lüsten und Begierden absagen und Gott die Getreuheit zusagen, der Heiland Jesum Christum anzunehmen, und euch führen lassen vom Heiligen Geist, in alle Wahrheit gehorsam zu sein, und des zu verbleiben bis in den Tod. Könnet ihr das mit Ja antworten?

3) So sollet ihr auch gefragt sein ob ihr willig sind für des ganze Evangelium Jesum Christum anzunehmen, die Regeln, Ordnungen und Geboten all zu halten, wie auch die Evangelischen Regeln und Ordnung von der Gemeinde zu halten. Könnet ihr das mit Ja antworten?

Auf Buß und Besserung deines Lebens und der Glauben daß du bekennt hast vor Gott und viele Zeugen wirst du getauft mit Wasser im Namen den Vater, den Sohn Jesu Christo, und den Heiligen Geist.

almighty God in whose name you desire to be baptized with water? Can you acknowledge this with yes?

2) The Saviour says in Matthew 6 that no one can serve two masters. Either he will hate the one and love the other, or he will hold to the one and despise the other. So you are [now] asked if you are willing to renounce Satan and all his followers, his kingdom of darkness and the deceitful riches of this world, as well as your own carnal will, lusts, and affections; and do you pledge to be faithful to God, to receive the Saviour Jesus Christ, and to allow yourself to be led by the Holy Spirit in all obedience to the truth, and to remain in this unto death? Can you acknowledge this with yes?

3) So you shall also be asked if you are willing to embrace the whole gospel of Jesus Christ, to adhere to all the teachings, ordinances, and commandments, as well as to hold to the evangelical rules and regulations of the church. Can you acknowledge this with yes?

Upon the repentance and amendment of your life and the faith which you have confessed before God and many witnesses, you are baptized with water in the name of the Father, the Son Jesus Christ, and the Holy Spirit.

Im Namen des Herren und im Namen der Gemeinde,
biete ich dir die Hand: Stehe auf zu eine neuen Anfang,
zu ein neuen Lebenswandel. Der Herr stärke dich den
neuen angefangenes Werk auszuführen, sein Jünger zu
sein, die Wahrheit zu erkennen, und die Wahrheit wird
dich frei machen.

Abschrift von Ehestand.

[Old Order Amish, Ohio, Indiana, etc.]

Erkennet und bekennet ihr es auch für eine christliche
Ordnung daß ein Mann und ein Weib sein soll, und
kennet ihr auch hoffen daß ihr diesen Stand so weit
angefangen habt wie ihr sind gelehrt worden? (Ja.)

Kannst du auch hoffen, Bruder, daß der Herr dir
diese unsere Mit=Schwester möchte zu einem Eheweib
verordnet haben? (Ja.)

Kannst du auch hoffen, Schwester, daß der Herr dir
diesen unsern Mit=Bruder möchte zu einem Ehemann
verordnet haben? (Ja.)

Versprechst du auch deinem Eheweib daß wenn sie
sollte in Leibes Schwachheit, Krankheit, oder einigerlei
solche Zufällen kommen, daß du willst für sie sorgen wie
es einen christlichen Ehemann zusteht? (Ja.)

In the name of the Lord and in the name of the church, I offer you my hand: arise to a new beginning, to a new life. The Lord strengthen you in the carrying out of this newly-begun work, to be His disciple, to acknowledge the truth, and the truth shall make you free.

A Copy Concerning Matrimony

[Old Order Amish: Ohio, Indiana, etc.]

Do you acknowledge and confess also that it is a Christian order that there should be one husband and one wife, and can you have the confidence that you have begun this undertaking in the way you have been taught? Answer: Yes.

Do you also have the confidence, brother, that the Lord has ordained this our fellow sister to be your wedded wife? Answer: Yes

Do you also have the confidence, sister, that the Lord has ordained this our fellow brother to be your wedded husband? Answer: Yes.

Do you solemnly promise your wife that if she should be afflicted with bodily weakness, sickness, or some such similar circumstances that you will care for her as is fitting for a Christian husband? Answer: Yes.

Versprechst du auch gleiches deinem Ehemann, daß wenn er sollte in Leibes Schwachheit, Krankheit, oder einigerlei solche Zufällen kommen, daß du willst für ihn sorgen wie es einem christlichen Eheweib zusteht? (Ja.)

Versprechet ihr auch beide miteinander daß ihr wollet Lieb, Leid und Geduld mit einander tragen, und nicht mehr von einander weichen bis euch der liebe Gott wird von einander scheiden durch den Tod? (Ja.)

Dann wird das Gebet getan.

So finden wir das Raguel die Hand der Tochter nahm und schlug sie Tobias in seine Hand und sprach: Der Gott Abrahams, und der Gott Isaaks und der Gott Jakobs sei mit euch, und helfe euch zusammen und gebe sein Segen reichlich über euch, und das durch Jesum Christum, Amen.

Vom Ehestand

[Old Order Amish, Lancaster County,
Pennsylvania, usw.]

Kannst du bekennen, Bruder, daß du diese unsere Mitschwester willst annehmen für dein Eheweib, und nicht von ihr lassen bis euch der Tod scheidet, und glaubst

And do you likewise promise the same to your husband, that if he should be afflicted with bodily weakness, sickness, or some similar circumstances, that you will care for him as is fitting for a Christian wife? Answer: Yes.

Do you also solemnly promise with one another that you will love and bear and be patient with each other, and not separate from each other until the dear God shall part you from each other through death? Answer: Yes.

(Then there is a prayer.)

Now we find that Raguel took the hand of the maiden and put it into the hand of Tobias and said, "The God of Abraham, the God of Isaac, and the God of Jacob be with you, and help you come together and shed His blessing richly upon you, and this through Jesus Christ, Amen."

Concerning Marriage

[Old Order Amish, Lancaster County, Pennsylvania, etc.]

Can you confess, brother, that you wish to take this our fellow-sister as your wedded wife, and not to part from her until death separates you, and that you believe this is from the Lord and that

daß es von dem Herrn ist und durch dein Glauben und Gebet so weit gekommen bist? Antwort: Ja.

Kannst du bekennen, Schwester, daß du dieser unser Mitbruder willst annehmen für dein Ehemann, und nicht von ihm lassen bis euch der Tod scheidet, und glaubst daß es vom Herrn ist und durch dein Glauben und Gebet so weit gekommen bist? Antwort: Ja.

Dieweil du bekennt hast, Bruder, daß du diese unsere Mitschwester willst annehmen für dein Eheweib, versprechst du ihr auch getreu zu sein, und für sie zu sorgen, sie mag kommen in Kreuz, Trübsal, Krankheit, Schwachheit, Verzagtheit, so wie es der Gebrechen viel ist unter uns armen Menschen, wie es einem Christlichen und Gottes=fürchtigen Ehemann zusteht? Antwort: Ja.

Dieweil du bekennt hast, Schwester, daß du dieser unser Mitbruder willst annehmen für dein Ehemann, versprechst du ihm auch getreu zu zein, und für ihn zu sorgen, er mag kommen in Kreuz, Trübsal, Krankheit, Schwachheit, Verzagtheit, so wie es der Gebrechen viel ist unter uns armen Menschen, wie es einen Christlichen und Gottes=fürchtigen Eheweib zusteht? Antwort: Ja.

through your faith and prayers you have been able to come this far? Answer: Yes.

Can you confess, sister, that you wish to take this our fellow-brother as your wedded husband, and not to part from him until death separates you, and that you believe this is from the Lord and that through your faith and prayers you have been able to come this far? Answer: Yes.

Since you have confessed, brother, that you wish to take this our fellow-sister to be your wedded wife, do you promise to be faithful to her and to care for her, though she suffer affliction, trouble, sickness, weakness, despair, as is so common among us poor humans, in a manner that befits a Christian and God-fearing husband? Answer: Yes.

Since you have confessed, sister, that you wish to take this our fellow-brother to be your wedded husband, do you promise to be faithful to him and to care for him, though he suffer affliction, trouble, sickness, weakness, despair, as is so common among us poor humans, in a manner that befits a Christian and God-fearing wife? Answer: Yes.

Die Ehe Fragen

[Old Order Amish: Somerset County,
Pennsylvania]

Bekennt ihr diese Ordnung, die euch vorgetragen ist,
für eine Göttliche Ordnung?

Glaubst du daß diese unsere Schwester dir von Gott
zum Eheweib verordnet ist?

Glaubst du daß dieser unser Bruder dir von Gott
zum Ehemann verordnet ist?

Versprechst du deinem Eheweib vor dem Herrn und
der Gemeinde, daß du Sorge für sie tragen willst, es sei
in leiblicher Krankheit oder einige andere Fällen was
sich zwischen Christlichen Eheleuten begeben mag, wie es
einem Christlichem Ehemann zustehet?

Versprechst du deinen Ehemann vor dem Herrn und
der Gemeinde, daß du Sorge für ihn tragen willst, es sei
in leiblicher Krankheit oder einige andere Fällen was
sich zwischen Christlichen Eheleuten begeben mag, wie es
einen Christliche Eheweib zustehet?

Versprichet ihr beide miteinander daß ihr Lieb und
Leid für einander tragen wollt, und daß euch nichts
voneinander scheidet bis der liebe Gott euch durch den
Tod voneinander scheiden wird?

Questions At Marriage

[Old Order Amish, Somerset County,
Pennsylvania]

Do you acknowledge this order, which has been taught to you, to be God's order?

Do you believe that this our sister is ordained of God to be your wedded wife?

Do you believe that this our brother is ordained of God to be your wedded husband?

Do you promise your wife before the Lord and the church that you will take care of her, whether in bodily sickness or any other circumstances which may arise between a Christian married couple, in a manner that is befitting to a Christian husband?

Do you promise your husband before the Lord and the church that you will take care of him, whether in bodily sickness or other circumstances which may arise between a Christian married couple, in a manner that is befitting to a Christian wife?

Do you both promise with one another that you will bear each other in love and in sorrow, and that you will allow nothing to separate you from each other until the dear God shall part you from each other through death?

Die Ehe Fragen

[Old Order Amish, Allen and Adams Counties, Indiana, usw.]

(Namen der Bräutigam), so will ich dich zum ersten fragen, hoffest und glaubest du auch daß der Allmächtige Gott dein Gebet erhört und diese deiner Mitschwester zu einen Eheweib verordnet habe?

(Namen der Braut), hoffest und glaubest du auch daß der Allmächtige Gott dein Gebet erhört und dieser deiner Mitbruder zu einem Ehemann verordnet habe?

Die Gemeinde stehet auf und betet, dann . . .

Du Bruder, als der Bräutigam, will ich weiter fragen, hoffest und glaubest du auch und bekennest vor der Allmächtige Gott und seiner Gemeinde, mit diese deine Mitschwester als mit einem von Gott verordneten Eheweib in Liebe, Frieden, und Einigkeit mit ihr zu leben wie es einem wahren gläubigen, frommen, tugendsam Ehemann zukommt; auch Lieb und Leid mit ihr zu tragen in gutem und auch in trübseligen Tagen, so wie sich der liebe Gott zuschickt, mit Geduld ihr helfen tragen; und nicht von ihr zu lassen so lang bis daß euch der Tod scheidet? Glaubst und versprechst du das?

Du Schwester, als der Braut, will ich weiter fragen, hoffest und glaubest du auch und bekennest vor der

Questions At Marriage

[Old Order Amish, Allen and Adams Counties,
Indiana, etc.]

(Name of the bridegroom), so I will ask you first,
do you have the confidence and also believe that
Almighty God has heard your prayer and has
ordained this your fellow-sister to be your wedded
wife?

(Name of the bride), do you have the confidence
and also believe that Almighty God has heard your
prayer and has ordained this your fellow-brother
to be your wedded husband?

The church stands up and prays, then . . .

You, brother, as the bridegroom, I will further
question, do you have the confidence and also
believe, and do you confess before Almighty God
and His church, to live with this your fellow-sister
as a divinely-ordained wedded wife, in love, peace,
and unity with her as befits a true believing, godly,
virtuous husband; also to bear with her in love and
in sorrow, in good days and in dreary ones, as the
dear God sends, helping her to bear with patience;
and not to separate from her until death separates
you? Do you believe and promise to this?

You, sister, as the bride, I will further question,
do you have the confidence and also believe, and

Allmächtige Gott und seiner Gemeinde, mit dieser deiner Mitbruder als mit einem von Gott verordneten Ehemann in Liebe, Frieden, und Einigkeit mit ihm zu leben wie es einen wahren gläubigen, frommen, tugendsam Eheweib zukommt; auch Lieb und Leid mit ihm zu tragen in guten und auch in trübseligen Tagen, so wie sich der liebe Gott zuschickt, mit Geduld ihm helfen tragen; und nicht von ihm zu lassen so lang bis daß euch der Tod scheidet? Glaubst und versprechst du das?

Von Dem Ehestand

[Old Order Amish, Milverton, Ontario area]

Jetzt, ihr jungen Leute, wenn es euer herzliches Begehren ist daß euer ehelicher Stand soll befestigt werden, so könnt ihr in Gottes Namen hierher kommen.

Ihr habt jetzt gehört wie Gott der Herr den ehelichen Stand eingesetzt hat. Ihr habt gehört wie sich eins gegen dem andern zu verhalten hat. Ihr habt auch gehört was euch noch von Gott befohlen ist. Seid ihr denn Willens, im Stand der Ehe so zu leben wie ihr jetzt hier bezeugt seid, vor Gott und Seiner Christlichen Gemeinde? Und ist euer Begehren daß euer ehelicher Stand darauf soll befestigt werden? (Antwort, Ja.)

So wolle unser lieber Herr Gott euer heilig Vornehmen bestätigen; euer Anfang ist in dem Namen des Herrn

do you confess before Almighty God and His church, to live with this your fellow-brother as a divinely-ordained wedded husband, in love, peace, and unity with him as befits a true believing, godly, virtuous wife; also to bear with him in love and in sorrow, in good days and dreary ones, as the dear God sends, helping him to bear with patience; and not to separate from him until death separates you? Do you believe and promise to this?

Concerning Marriage

[Old Order Amish, Milverton, Ontario area]

Now, you young people, if it is your heartfelt desire to be confirmed in the state of marriage, you may come forward in God's name.

You have now heard how God the Lord established the institution of marriage. You have heard how you are to conduct yourselves one to the other. You have also heard what more God has commanded you. Are you then willing to live in the state of marriage as you have now been instructed, before God and His Christian church? And is it your desire that your marriage may be established thereon? (Answer, "Yes.")

So may our dear Lord God sanction your holy endeavor; your beginning has been made in the

der Himmel und Erde erschaffen hat. Und nun, _____, glaubst du und bekennst du daß du die _____, deine geistliche Schwester hier zugegen, zu deinem ehelichen Weib nehmen willst? Und versprichst du sie nimmermehr zu verlassen, treulich zu ernähren, sie herzlich zu lieben, heilig mit ihr zu leben, ihr Treue und Glauben halten wie ein frommer und Gottesfürchtiger Mann seinem ehelichen Weibe zu tun schuldig ist, nach dem Worte Gottes und dem heiligen Evangelium? (Antwort, Ja.)

Und du, _____, glaubst du und bekennst du daß du der _____, dein geistlicher Bruder hier zugegen, zum ehelichen Mann nehmen willst? Und versprichst du ihm gehorsam zu sein und ihn nimmermehr zu verlassen, ihn herzlich zu lieben, heilig mit ihm zu leben, ihm Treue und Glauben halten wie ein frommes und tugendsames Weib seinem ehelichen Mann zu tun schuldig ist, nach dem Worte Gottes und dem heiligen Evangelium? (Antwort, Ja.)

Formel Zur Einsetzung In Den Ehestand

[Old Order Mennonites of Ontario, etc.]

So spricht der Prediger zu dem Brautpaar: Wenn ihr noch beide entschlossen seid, euch miteinander in den Stand der Ehe zu begeben, so tretet hervor, worauf sie

name of the Lord who created heaven and earth. And now, _____, do you believe and confess that you wish to take _____, your spiritual sister here in your presence, to be your wedded wife? And do you promise never to forsake her, faithfully to support her, affectionately to love her, to live with her in godliness, be loyal and faithful to her as a pious and God-fearing husband is obligated to be toward his wife, according to the Word of God and the holy gospel? (Answer, "Yes.")

And you, _____, do you believe and confess that you wish to take _____, your spiritual brother here in your presence, to be your wedded husband? And do you promise to be obedient to him and never to forsake him, affectionately to love him, to live with him in godliness, be loyal and faithful to him as a pious and virtuous wife is obligated to be toward her husband, according to the Word of God and the holy gospel? (Answer, "Yes.")

Order Of The Consecration Of Marriage

[Old Order Mennonites of Ontario, etc.]

Then the minister says to the bridal pair: "If you both still desire to give yourselves in marriage to each other, you may step forward." Thereupon,

sich vor den Prediger stellen, der Bräutigam zur rechten Seite der Braut. Nun fragt der Prediger beide zugleich:

1) Bekennet ihr, daß der Ehestand eine Einsetzung Gottes ist, auch von Christo Jesu aufs neue bestätiget wurde, und daher ihr ihn in der Furcht Gottes antreten müsset? So antwortet beide mit Ja.

2) Ich frage dich, _____, als Bräutigam: Bekennest du daß du frei, ledig und los bist von allen andern Weibspersonen, was den Ehestand betrifft? So antworte mit Ja.

Ich frage dich, _____, als Braut: Bekennst du daß du frei, ledig und los bist von allen andern Mannspersonen, was den Ehestand betrifft? So antworte mit Ja.

3) Ich frage dich, _____, als Bräutigam: Versprichst du diese deine gegenwärtigen Mitschwester anzunehmen als dein Eheweib, für sie zu sorgen, sie zu lieben, ihr in Kreuz und Krankheit beizustehen in Geduld, friedlich und christlich mit ihr zu leben und sie nicht zu verlassen solange euch Gott das Leben schenkt? So antworte mit Ja.

Ich frage dich, _____, als Braut: Versprichst du diesen deinen gegenwärtigen Mitbruder anzunehmen als deinen Ehemann, ihn zu lieben und in Krankheit

they position themselves in front of the minister, the groom on the right of the bride. Then the minister asks them both:

1) Do you acknowledge that marriage is an institution of God, which was also reconfirmed by Christ Jesus, and that therefore you must enter into it in the fear of God? If so, you may both answer with, "Yes."

2) I ask you, _____, as bridegroom: Do you confess that you are free, single, and disengaged from all other women, as far as marriage is concerned? If so, answer with, "Yes."

I ask you, _____, as bride: Do you confess that you are free, single, and disengaged from all other men, as far as marriage is concerned? If so, answer with, "Yes."

3) I ask you, _____, as bridegroom: Do you promise to accept as your wife this your fellow-sister who is present with you to care for her, to love her, to stand by her in patience during affliction and sickness, to live with her in a Christian and peaceable manner, and not to forsake her as long as God grants you life? If so, answer with, "Yes."

I ask you, _____, as bride: Do you promise to accept as your husband this your fellow-brother who is present with you, to love him,

ihn zu pflegen in Geduld, christlich und friedlich mit ihm zu leben und ihn nicht zu verlassen so lange euch Gott das Leben schenkt? So antworte mit Ja.

Dann spricht der Prediger: So reichet einander die rechte Hand. Er fasset sie dabei selbst an in seine beiden Hände und füget sie zusammen, indem er spricht:

Der Gott Abrahams, der Gott Isaaks, und der Gott Jakobs sei mit euch und helfe euch zusammen, und gebe seinen Segen reichlich über euch. Gehet hin als Eheleute: fürchtet Gott und haltet seine Gebote.

From Kurzgefaßte Kirchen-Geschichte und Glaubenslehre by Benjamin Eby (1785-1853), originally published in 1841, 1983 reprint, pages 218-223.

Die Ehe Fragen

[Old Order Mennonites, Pennsylvania, etc.*]

(Beide gefragt:) Ob ihr glaubet daß die Ehe ein Einsetzung Gottes ist, durch Christus erneuert und bestätigt, und ob ihr euch zum Herr gewendet habt im Gebet in der Hoffnung und Zuvertrauen daß euer Ehe kann im Herrn geschehen. Könnet ihr daß mit Ja antworten?

So sollst du als der Bräutigam gefragt werden ob

and to patiently care for him in sickness, to live with him in a Christian and peaceable manner, and not forsake him as long as God grants you life? If so, answer with, "Yes."

Then the minister says, "Extend your right hand to each other." Then he himself takes their hands in both his own hands and joins them together, as he says:

> The God of Abraham, the God of Isaac, and the God of Jacob be with you and help you come together and shed His blessing richly upon you. You may go forth as a married couple; fear God and keep His commandments.

Wedding Questions

[Old Order Mennonites, Pennsylvania, etc.]

(Both are asked:) Do you believe that marriage is an institution of God, renewed and confirmed by Christ? And have you appealed to God in prayer in the hope and confidence that your marriage may be in the Lord? Can you answer this with yes?

And so you as the bridegroom are asked if you

du frei, ledig, und los bist von alle andere Weibspersonen was den Ehestand betrifft. Kannst du das mit Ja antworten?

So sollst du als die Braut gefragt werden ob du frei, ledig, und los bist von alle andere Mannspersonen was den Ehestand betrifft. Kannst du das mit Ja antworten?

So sollst du als der Bräutigam gefragt werden ob du willig bist diese deine Braut, unser Mitschwester _____ anzunehmen als dein Eheweib, sie zu lieben und zu pflegen und beizustehen in die Not, in Krankheiten, oder was der Herr über euch kommen läßt, Christlich und friedlich beieinander wohnen, das schwerste Teil auf dich zu nehmen, und sie nicht zu verlassen bis der Tod euch scheidet. Kannst du das mit Ja antworten?

So sollst du als die Braut gefragt werden ob du willig bist diese dein Ehemann, unser Mitbruder _____ anzunehmen als dein Ehemann, ihn zu lieben und zu pflegen und beizustehen in die Not, in Krankheiten, oder was der Herr über euch kommen läßt, Christlich und friedlich beieinander wohnen, das leichste Teil auf dich zu nehmen, suchen ihn untertan zu sein und ihn nicht zu verlassen bis der Tod euch scheidet. Kannst du das mit Ja antworten?

* This is one of several versions in use among the Old Order Mennonites, all of them largely derived from the form left back by Bishop Jonas H. Martin, who was bishop from 1881-1925.

are free, single, and disengaged from all other women, as far as marriage is concerned? Can you answer this with yes?

And you as the bride are asked if you are free, single and disengaged from all other men, as far as marriage is concerned? Can you answer this with yes?

And so you as the bridegroom are asked if you are willing to accept this your bride, our fellow-sister _____, as your wife, to love and to care for her and to stand by her in need, in sickness, or whatever the Lord allows to come upon you, to live with her in a Christian and peaceable manner, to take the heavier responsibility upon yourself, and not to forsake her until death shall separate you. Can you answer this with yes?

So you as the bride are asked if you are willing to accept this your bridegroom, our fellow-brother _____, as your husband, to love and to care for him and to stand by him in need, in sickness, or whatever the Lord allows to come upon you, to live with him in a Christian and peaceable manner, to take the lighter responsibility upon yourself, to be submissive to him and not to forsake him until death shall separate you. Can you answer this with yes?

Index